D0784766

Nous remercions le ministère du Patrimoine canadien,
la SODEC et le Conseil des Arts du Canada
de l'aide accordée à notre programme de publication

Patrimoine   Canadian
canadien   Heritage

Conseil des Arts   Canada Council
du Canada   for the Arts

ainsi que le gouvernement du Québec
– Programme de crédit d'impôt
pour l'édition de livres
– Gestion SODEC.

Nous reconnaissons l'aide financière
du gouvernement du Canada
par l'entremise du Programme d'aide au développement
de l'industrie de l'édition (PADIÉ) pour ce projet.

Logo de la collection :
Vincent Lauzon

Illustration de la couverture :
Louis-Martin Tremblay

Maquette de la couverture :
Ariane Baril

Édition électronique :
Infographie DN

Membre de l'Association nationale des éditeurs de livres

ASSOCIATION
NATIONALE
DES ÉDITEURS
DE LIVRES

Dépôt légal : 3ᵉ trimestre 2010
Bibliothèque nationale du Canada
Bibliothèque nationale du Québec

1234567890 IM 9876543210

Des mots
et des poussières

DE LA MÊME AUTEURE
AUX ÉDITIONS PIERRE TISSEYRE

COLLECTION SÉSAME/SÉRIE GASPAR
Mes parents sont des monstres, 1997.
Grand-père est un ogre, 1998.
Grand-mère est une sorcière, 2000.
Mes cousins sont des lutins, 2002.
Mon père est un vampire, 2003.
Ma tante est une fée, 2004.
Mon chien est invisible, 2006.
Mon oncle est un dragon, 2010.

COLLECTION PAPILLON
Le temple englouti, 1990.
Le moulin hanté, 1990.
Le fantôme du tatami, 1990.
Le retour du loup-garou, 1993.
Vent de panique, 1997.
Rude journée pour Robin, 2001.
Robin et la vallée Perdue, 2002.
Lori-Lune et le secret de Polichinelle, 2007.
Lori-Lune et l'ordre des Dragons, 2007.
Lori-Lune et la course des Voltrons, 2007.
Lori-Lune et la révolte des Kouzos, 2009.

COLLECTION CONQUÊTES
Enfants de la Rébellion, 1989, Prix Cécile-Rouleau
    de l'ACELF, 1988.
Gudrid, la voyageuse, 1990.
Meurtre à distance, 1993.
Une voix troublante, 1996.
« Le cobaye », dans le collectif de nouvelles de l'AEQJ,
    Peurs sauvages, 1998.

COLLECTION SAFARI
Le secret de Snorri, le Viking, 2001.

COLLECTION FAUBOURG ST-ROCK
L'envers de la vie, 1991.
Le cœur à l'envers, 1992.
La vie au Max, 1993.
C'est permis de rêver, 1994.
Les rendez-vous manqués, 1995.
Des mots et des poussières, 1997.
Ma prison de chair, 1999.
La clef dans la porte, en collaboration, 2000.

Susanne Julien

Des mots
et des poussières

Roman

**ÉDITIONS
PIERRE TISSEYRE**
w w w . t i s s e y r e . c a

9300, boul. Henri-Bourassa Ouest, bureau 220
Saint-Laurent (Québec) H4S 1L5
Téléphone: 514 335-0777 – Télécopieur: 514 335-6723
Courriel: info@edtisseyre.ca

COLLECTION FAUBOURG ST-ROCK +
L'envers de la vie, 2007.
Le cœur à l'envers, 2007.
La vie au Max, 2007.
C'est permis de rêver, 2008.
Les rendez-vous manqués, 2009.
Des mots et des poussières, 2010.
Ma prison de chair, 1999.

POUR ADULTES
Mortellement vôtre, 1995.
Œil pour œil, 1997.
Le ruban pourpre, 2003.

*Quand je peins, j'essaie toujours de donner
une image à laquelle les gens ne s'attendent pas
et qui soit assez écrasante pour être inacceptable.*

Pablo Picasso

Catalogage avant publication de Bibliothèque et Archives nationales du Québec et de Bibliothèque et Archives Canada

Julien, Susanne

      Des mots et des poussières
      2^c édition

      (Collection Faubourg St-Rock +; 19)
      Édition originale : ©1997 dans la collection
        Faubourg St-Rock
      Pour les lecteurs de 12 ans et plus.

      ISBN 978-2-89633-150-5

      I. Tremblay, Louis-Martin. II. Titre III. Collection

PS8569.U477D47 2010   jC843'.54   C2010-941183-8
PS9569.U477D47 2010

1

Je sais, vous allez croire que je suis un être centré sur son petit nombril ou qui se figure que l'Univers tourne autour de lui, mais… j'aimerais vous parler de moi. Oh! je ne pense pas être un adolescent exceptionnel! Enfin, si peu. Jugez-en par vous-même!

Voici ma maison. De l'extérieur, elle ressemble à une simple habitation à six logements, deux par étage, sans compter le sous-sol. Poussez la porte! L'entrée donne sur un escalier propre et banal. Les jours de pluie, des gamins et des fillettes envahissent les marches pour s'amuser à leurs jeux favoris. En ce moment, on n'y voit personne. Mais attendez quelques instants, dix-huit heures approchent. Encore quatre secondes, trois, deux, une…

Entendez-vous cette cloche? C'est l'angélus. Vous ne connaissez pas! Alors, je vais vous expliquer cela pendant que tous les habitants de la maison descendent au sous-sol. Matin, midi et soir, ce signal appelle les fidèles à se regrouper pour rendre hommage à Marie, la mère de Jésus. Je l'aurais parié: je viens de vous perdre.

Vous vous dites sûrement : « Ce garçon travaille du chapeau ! Il vit dans une secte. Il ne s'imagine tout de même pas qu'il va m'entraîner dans sa cave pour réciter à tour de bras des *Ave Maria*. J'ai mieux à faire que de perdre mon temps à… » Je conçois très bien que mes préoccupations religieuses ne vous intéressent pas et je n'ai nul désir de vous forcer à baragouiner des prières. En réalité, le propos de mon monologue ne concerne pas la religion. Il s'agit d'une aventure assez particulière à laquelle j'ai été mêlé contre mon gré. Seulement, pour bien comprendre mon histoire, il faut que vous appreniez à me connaître.

Alors, voici : j'appartiens à ce que j'appellerais une ébauche de religion. Nous n'en sommes qu'aux balbutiements. Un peu à la manière de Jésus avant que les douze apôtres se joignent à lui pour ne plus le quitter. Comme lui, j'aborde la période de la tentation du diable dans le désert. Vous vous rappelez : le pauvre Jésus jeûne (allez savoir pourquoi !), le vilain démon lui suggère d'utiliser son pouvoir pour transformer des pierres en pain et Jésus refuse en prononçant une phrase tellement énigmatique que vous ne l'avez sûrement pas comprise. Eh bien ! c'est là où j'en suis : au moment où il faut savoir dire non ! Voilà un art que je possède mal. Repousser la tentation peut vous sembler simple, mais lorsqu'on y est plongé jusqu'au cou, ce…

Pardonnez-moi, je saute les étapes. Je n'ai pas fini de me présenter. Je me nomme Josaphat-Célestin Dumbell.

Je vous entends rire. Inutile de nier, j'ai l'habitude. Je porte un nom à coucher dehors, on me l'a assez répété. Chaque fois qu'un enseignant du primaire prenait les présences, la classe pouffait. Il se contentait donc de m'appeler par mes initiales : J.-C. Vous pouvez faire de même, si vous préférez. Évidemment, je dois mon nom à mes parents.

Surtout à ma mère, la belle Marie ! N'allez pas croire que j'exagère le qualificatif que je lui donne. Ma mère courait les concours de beauté dans sa jeunesse. Et elle les gagnait. Elle a décroché deux fois le titre de Miss Monde Nue !

Faut le faire ! Elle présume que je ne suis pas au courant du caractère particulier de ses exploits. Elle ignore que j'ai trouvé les articles de journaux et les photos des événements dissimulés entre les pages d'un livre (*Les Révélations des saints martyrs*). Ses médailles sont cachées au fond du premier tiroir de sa commode, dans une vieille paire de bas qu'elle ne porte jamais.

À dix-neuf ans, elle se rendit à Floresville, au Texas, où avait lieu le concours, cette année-là. Elle en revint avec un premier prix, quelques milliers de dollars américains en poche et un fœtus bien ancré en elle. Je doute qu'elle sache qui est mon père. Biologique, j'entends. Les rares fois où elle m'a parlé de son « fameux » voyage aux États-Unis, elle n'est pas entrée dans les détails, mais j'ai compris que ce fut un périple fort mouvementé. Sa folie de jeunesse ! Une période de sa vie marquée du sceau de la débauche ! Parfois, elle me cite vaguement son expérience afin de m'éviter de tomber dans les mêmes turpitudes. Elle se compare alors à Marie-Madeleine, la pécheresse repentante.

En réalité, tout vient de là. Elle a cédé à la tentation du diable et, maintenant, elle doit se racheter. C'est la nuit de l'accouchement, trois semaines avant la date prévue, qu'elle a miraculeusement compris ses fautes. Elle courait encore les concours de beauté. Non, elle n'y allait pas pour exposer sa grosse bedaine. Elle y jouait le rôle de juge. L'épreuve se déroulait dans une vieille grange transformée en salle de spectacle d'un petit village américain, Bethlehem. Si vous ne croyez pas à l'existence de cet endroit, sortez votre loupe et une carte de l'État du New Hampshire. Le patelin se trouve en haut à gauche, à l'entrée du Parc national des Montagnes Blanches. Vous ne verrez qu'un point minuscule sur la route 302.

À l'époque, aussi surprenant que cela puisse paraître, le village subissait encore l'influence de Woodstock. Près de vingt ans après ce grand événement musical, la mode hippie, le *flowerpower,* le *peace and love* et tout le tralala qui s'y rattache régnaient bizarrement sur l'ambiance du concours. La grange dégageait une forte odeur de marihuana et d'encens qui parvenait à peine à dissimuler les émanations de fumier des champs environnants. Des guirlandes de fleurs ainsi que des slogans visant à promouvoir l'amour (physique, bien sûr!) ornaient les murs. Entre les différentes épreuves du concours, un chanteur noir maigrichon, au sourire rehaussé d'une dent en or, et un magicien, bâti comme un boxeur, faisaient patienter le public constitué à soixante-quinze pour cent de mâles.

Lorsque les ravissantes jeunes femmes se mirent à défiler sur *Money*, un hit musical et «monétaire» des années 1970, ma mère ressentit ses premières contractions. Elle ne s'inquiéta pas puisqu'un accouchement dure des heures. Elle avait amplement le temps de terminer sa besogne avant le véritable travail. Malheureusement pour elle, je me suis montré un peu trop pressé. Dix minutes plus tard, Marie baignait dans les eaux. Situation inconfortable, s'il en est. Mal à l'aise, elle chercha à s'éclipser discrètement en direction de la salle de bains, dans les coulisses. Mais elle avait fait à peine deux pas, lorsqu'une douleur fulgurante lui arracha un cri. Accrochée à l'estrade, elle demeura figée sur place, crispée et haletante.

C'est le magicien qui comprit le premier ce qui se passait. En moins de deux, il la souleva et la coucha sur la scène. Les spectateurs, qui ne s'étaient pas déplacés pour assister à ce genre de représentation, se mirent à huer et à exiger que cette femme débarrasse le plancher. Pour l'amour, ils étaient d'accord, mais le produit du libertinage ne les intéressait nullement. Le magicien menaça d'une raclée dont il se souviendrait jusqu'en enfer le premier qui oserait toucher à la future maman. Avec ses longs cheveux blonds, son épaisse moustache dans les mêmes tons et ses yeux bleus qui foudroyaient ceux qui gueulaient trop fort, il ressemblait à un Viking en colère. Ses biceps contribuèrent à dissuader tout le monde et à susciter un minimum de compréhension de la part du public. Son physique impressionnait, quoi!

Ma mère gémit de nouveau:

— Ahh! Ça pousse! Le bébé va sortir… Je ne sais pas quoi faire. J'ai mal…

Le colosse prit doucement la main de Marie et tenta de la réconforter avec un accent anglais très prononcé:

— *Calm*, petite moman. Doug est là. *Calm*-vous.

C'était très gentil de sa part, mais moi, je poussais de plus en plus fort et ma mère s'agrippait désespérément au magicien à chaque douleur. Le chanteur noir, dans le but évident de réconforter la jeune femme, s'accroupit auprès d'elle. Mal lui en prit: au même instant, elle releva subitement les genoux sous l'effet d'une crampe plus aiguë que les autres, et le heurta directement sur la margoulette. Maman cria tellement fort qu'on n'entendit pas le chanteur s'exclamer qu'il avait perdu une dent. Celle qui était en or!

Donc, Marie ne se calmait pas du tout. Doug, puisque tel était le nom du magicien, lança un appel à la foule redevenue houleuse:

— *For heaven's sake, is there a doctor in the audience?*

Au bout d'un moment, un homme fit un signe timide. Il n'était que vétérinaire. Mais, puisqu'il avait accumulé une vaste expérience en aidant les vaches à vêler, il proposa ses services. On tira le rideau et le public chahuta tandis que le chanteur, à quatre pattes, cherchait sa dent sous l'estrade.

L'animateur tenta de rétablir l'ordre en criant dans son micro :

— *Sorry ! The show is over !*

Je vous fais grâce des détails. Sachez seulement qu'en moins de vingt minutes, j'étais là, hurlant, vagissant, dégoûtant. J'occupais déjà le plateau. J'avais volé le spectacle qui fut reporté au lendemain.

Pour se disculper auprès de ses clients qui rechignaient à quitter les lieux, le pauvre organisateur de la soirée ne cessait de répéter : « *It's an act of God !* » L'anglais de ma mère n'étant pas très élaboré, elle comprit que j'étais un cadeau de Dieu, un cadeau céleste : de là vient mon second prénom.

Dès ma venue au monde, on m'enveloppa dans un châle et on me coinça dans les bras de ma mère. Elle me regarda et se mit à pleurer à chaudes larmes. Doug ne comprenait plus rien. Le bébé possédait ses dix doigts et ses dix orteils et paraissait en excellente santé. La mère était enfin délivrée. Alors, pourquoi cette crise de larmes ? Pourquoi ce chagrin inconsolable ?

— Parce que… parce que j'ai accouché aux États-Unis. Mon bébé est un Américain et je suis une Québécoise. Il va falloir que je demande un changement de nationalité. On va me poser des tas de questions, ce sera compliqué et sûrement trop cher pour mes moyens et…

Pour couper court à ses lamentations, Doug lui proposa de s'occuper des formalités.

— Comment ? demanda ma mère.

Pour toute réponse, il se contenta de sourire. À cet instant précis, il avait la tête vis-à-vis d'un projecteur. Ma mère aperçut son visage auréolé de lumière. Ce fut le coup de foudre. Elle crut bon de se présenter.

— Je m'appelle Marie Angélique.

C'était son nom de scène, plus joli que Marie Gélinas, il faut bien l'admettre.

— Je sais. J'ai vu vous avant dans concours.

Bel effort pour un Américain. Dans un français bredouillant, il lui expliqua qu'il l'avait remarquée, l'année précédente, au Texas, et qu'il se souvenait très bien d'elle. Je parie qu'il l'aimait déjà.

— Moi, c'est Joseph A. Douglas Dumbell.

Ma mère comprit Josaphat. Et voilà comment je fus baptisé Josaphat-Célestin. J'héritai du Dumbell le lendemain matin parce que cette nuit-là… Doug le mirifique mérita de devenir mon père.

Moins d'une heure après l'accouchement, ma mère se retrouva allongée sur la banquette arrière d'une vieille Ford Mustang, moi enfoui dans son giron. Au volant, Doug conduisait le pied au plancher, plein nord. Il fallait que le bébé passe en douce la frontière pour en faire un vrai petit Québécois. Maman dormit durant tout le trajet (moi aussi). Elle s'éveilla dans le hall de l'hôpital Sainte-Justine, le lendemain matin. Doug signa les papiers, Marie montra sa carte d'assurance-maladie et moi, je braillai. Tout était pour le mieux. En déshabillant ma mère pour qu'elle enfile la robe de nuit réglementaire, les infirmières découvrirent deux tiges d'encens et une dent en or cachées dans les replis de sa jupe. Mes premiers cadeaux! Pour ce qui est de la myrrhe, disons que je me suis contenté d'être le point de mire lors de ma naissance...

Coïncidence, coïncidence... Il n'en fallait pas tant pour ma mère. Surtout que Doug y contribua grandement. Elle se convertit.

2

Et la secte, dans tout cela? me demanderez-vous. Justement, Doug n'entraîna pas ma mère vers le catholicisme ou le protestantisme. Non, il la guida plutôt vers sa propre vision de la spiritualité. Tout tourne autour de Marie, mère du fils de Dieu. Enfin, d'un de ses fils, puisqu'il n'est écrit nulle part que le Tout-Puissant ne récidivera pas. Avec une autre Marie… Vous me suivez? Dans une Bethléem modernisée, les braiments de la mule se sont transformés en vrombissements de Mustang, les bergers ont cédé le pas à un public un peu plus déluré, mais Joseph est demeuré le même homme au cœur d'or.

Doug mérite qu'on s'attarde un peu sur son cas. Vétéran de la guerre du Golfe (les Américains sont tous vétérans d'une guerre ou d'une autre), il est âgé d'au moins dix ans de plus que ma mère. Je ne dirais pas que son séjour en Irak l'a troublé, mais il en est revenu, pour le moins, singulièrement marqué par la religion. Ses prières l'ont sauvé des mines antipersonnel et des suicidaires bardés d'explosifs. Avant de partir pour le front, sa grand-mère lui avait accroché au cou une petite médaille de Marie. Il ne s'en est jamais séparé. Dans les pires moments, lorsque les balles sifflaient en terrain découvert ou quand il devait déjouer les guets-apens dans le désert par une nuit obscure, il suppliait la sainte de le garder sous son aile protectrice. Il ne fut jamais blessé. Sa grand-mère lui avait aussi donné une bible. Il l'apprit par cœur entre les batailles. De son expérience et de ses lectures, il conçut un amour sans borne pour Marie, qui devint la pierre angulaire de sa foi.

À son retour de la guerre, un peu désœuvré, il ne trouva que des emplois de fortune : pompiste, bricoleur, inventeur de babioles, vendeur de maïs soufflé, éclairagiste, fabricant de décors et finalement magicien. Trente-six métiers, trente-six misères! Depuis qu'il a rencontré ma mère, il ne l'a plus quittée. Et elle s'est rangée. Elle est devenue tellement sage qu'on ne la reconnaissait plus. Travailleur acharné, Doug le magicien se produisit dans tous les cabarets et tous les clubs de Montréal et de la province. Sans jamais prendre un verre d'alcool ou toucher à une drogue. Il n'en ressent pas le besoin, sa passion à lui, c'est la Vierge Marie. Il a investi ses maigres gains dans une maison à revenus qui tombait en ruine. Une fois retapée, grâce aux talents cachés de Doug, elle s'est métamorphosée en temple dédié à sa sainte préférée.

Il ne restait plus qu'à trouver des adeptes pour payer le loyer. Car vous n'allez tout de même pas vous figurer qu'on allait accueillir n'importe qui dans nos logements. Au fil du temps, Doug et Marie ont recruté cinq couples charmants, sympathiques et à la recherche d'une meilleure doctrine religieuse. La maison s'est rapidement peuplée d'enfants. Seul Doug n'en a jamais eu. Il croit que ce serait un produit chimique, vaporisé par les Irakiens pendant la guerre, qui l'aurait rendu stérile. Mais il prend cela avec philosophie. Il a ainsi plus de temps à consacrer à mon éducation. Mais nous aborderons ce point plus tard. Pour l'instant, on étouffe, ici. Sortons. Venez, je vous emmène sur les lieux du… du crime.

C

Changement de quartier, changement de décor ! Nous voici sur la rue des Ducats, une petite avenue paisible. On n'y trouve que des maisons unifamiliales et des duplex. La demeure qui m'intéresse est située entre l'aire du Verseau et la rue de la Vieille-Ferme. Il s'agit probablement de la plus ancienne bâtisse du coin. Son escalier de bois vermoulu et ses cadres de fenêtres pourris auraient bien besoin d'être changés ou repeints. C'est exactement la réflexion que je me suis faite lorsque je suis passé ici la première fois.

Ce jour-là, un beau samedi ensoleillé du mois d'avril, j'effectuais ma tournée. Non, désolé de vous décevoir, je ne distribue pas de feuillets religieux et je ne réveille pas les gens à huit heures du matin pour les endoctriner. On sait vivre, chez nous.

Régulièrement, je passe dans les avenues ombragées, où s'alignent de jolis bungalows et de charmants cottages, pour offrir mes services. Montages en tous genres! Il y a longtemps que Doug m'a appris à me servir de mes dix doigts. Je monte tout ce que vous pouvez acheter en pièces détachées : poêle Hibachi, meuble Ikéa, armoire de cuisine, porte de garage, système d'ouverture à distance, et ainsi de suite. Rien ne résiste à ma patience.

Le printemps et l'automne, les clients ne manquent pas. Il suffit de visiter les bonnes rues. Ce sont surtout les gens âgés qui requièrent mon aide. Et les gens qui détestent lire un plan. Généralement, au moment où, sous l'effet d'une rage exaspérée, ils s'apprêtent à jeter à la poubelle les vis, les boulons et tout le reste, leur femme sort ma carte professionnelle. Je reçois alors un coup de téléphone qui ressemble presque à un appel au secours…

Donc, ce jour-là, je l'aperçus, menue, faible, vulnérable, agenouillée devant sa rocaille où il y avait beaucoup plus de cailloux que de terre. La pauvre vieille dame semblait tellement abattue et découragée que je ne pus résister au désir de lui apporter mon soutien.

— Bonjour, madame. Comment allez-vous?

Elle tourna sa tête argentée vers moi et me fixa de ses grands yeux noirs embués de larmes.

— Mal! Très, très mal!

En entendant cette réponse qui contraste avec l'habituel « Ça va, merci », j'aurais dû lui tourner le dos et prendre mes jambes à mon cou. Mais non, idiot que je suis ! Touché par tant de tristesse, je me suis accroupi auprès d'elle.

— Êtes-vous blessée ? Ressentez-vous une douleur quelque part ?

— Oui, au cœur !

Alarmé, je crus qu'elle allait mourir dans mes bras d'une crise cardiaque. Avant que je ne puisse réagir, elle me saisit violemment par le bras et me secoua en grognant :

— À l'orgueil, surtout ! Vieillesse maudite ! Tout un Dieu que celui qui nous laisse ainsi décrépir !

Elle se releva avec beaucoup plus d'agilité que j'aurais pu en attendre d'une femme de son âge et se dirigea d'un pas sec vers sa maison. Elle venait de me piquer au vif. Dieu, c'est mon domaine, après tout. Alors, je la suivis pour avoir une bonne discussion avec elle. Malheureusement, je ne pus placer un mot pendant au moins quinze minutes.

— Regarde la façade ! Elle tombe en ruine. À quoi sert-il de vivre pour assister à une telle déchéance ? Même les crocus et les perce-neige refusent de pousser ! Ils ont honte de vivre ici. Et l'intérieur, c'est pire encore.

Elle m'entraîna à sa suite dans de petites pièces sombres sentant le renfermé. De toute évidence, sa demeure avait besoin d'être retapée. Mais la pauvre dame n'en avait plus la force, à ce qu'elle prétendait. Pourtant, à ce moment-là, elle me guida avec une telle vivacité que je me demandai si elle n'exagérait pas un peu.

Et, soudainement, toute son énergie retomba. Elle s'affala dans un fauteuil du salon.

Elle tendit une main tremblante vers un guéridon garni de petites fioles. Après avoir avalé une pilule, comme on croque un bonbon, elle respira un bon coup dans une pompe pour asthmatiques. Ce n'est qu'à cet instant que je pus parler.

— Dieu n'abandonne personne. Chaque étape de notre vie est constituée d'épreuves que nous devons affronter avec courage, dans l'espoir d'une vie meilleure dans l'au-delà.

Elle me fixa avec des yeux ronds comme on examinerait un fou échappé d'un asile. C'est une réaction dont j'ai l'habitude et je ne m'en suis pas formalisé. Elle reprit vite le contrôle de ses sens et de la situation.

— Comment t'appelles-tu et qu'est-ce que tu fais chez moi?

C'est là que son accent m'a frappé. J'avais bien noté qu'elle prononçait ses r d'une manière étrange, mais de cette phrase-là, il émanait une inflexion ensoleillée. Je ne saurais expliquer d'où me venait cette image d'un pays baigné de chaleur.

Je lui tendis ma carte et lui expliquai le but de ma démarche. Cette fois, j'évitai soigneusement de parler religion. Si jamais elle m'embauchait pour de menus travaux, j'aurais bien le temps d'en rediscuter. On n'attire pas les colombes avec du vinaigre, comme dirait Doug.

— Tu montes! Tu montes! C'est bien joli, mais est-ce que tu répares aussi?

Pourquoi pas? Quand on sait manier un tournevis et un marteau, il n'y a pas un mur, pas une porte qui pourrait nous résister. J'ai opiné du bonnet, prêt à lui vanter les mérites de mon travail, mais elle me coupa la parole.

— Combien demandes-tu pour ton travail? Je t'avertis, je ne peux pas payer davantage que le salaire minimum. Si ça ne te suffit pas, va-t'en tout de suite.

— Votre prix sera le mien, madame. Que désirez-vous que je vous installe?

— Un système antivol!

Du coin de l'œil, j'examinai le salon. Un tapis élimé habillait le plancher. Le tissu style tapisserie du divan avait perdu depuis longtemps ses couleurs vives et chatoyantes. Son téléviseur ressemblait à un dinosaure à côté des télés haute définition d'aujourd'hui, et elle ne possédait même pas de magnétoscope. Aucun tableau rare ne pendait aux murs et nul article de valeur ne décorait l'endroit. Il n'y avait là que de vieux objets chargés de souvenirs, mais sans grande valeur. Pour lui éviter une dépense inutile, je tentai de lui faire comprendre que cette installation n'était peut-être pas nécessaire pour sa maison.

— Qui te parle de la maison? C'est pour le garage.

— Ah!

Je n'ai pu cacher mon étonnement. Le garage, que j'avais aperçu avant d'entrer, tombait en ruine. Planté de guingois au fond de la cour, il devait prendre l'eau par son toit fissuré. Des lézardes couraient de la base au plafond. Pourquoi la vieille dame ressentait-elle le besoin de protéger cette bicoque ? Elle lut la question dans mes yeux.

— C'est à cause de la voiture. Une véritable antiquité que m'a léguée mon défunt époux.

Une antiquité ! Si elle ressemble à la Mustang de Doug, elle mériterait plutôt une place chez un ferrailleur que dans un musée. Je gardai le silence, attendant la suite qui ne tarda pas. La dame semblait parler davantage pour elle-même, se remémorant à haute voix des souvenirs réconfortants, oubliant presque ma présence.

— Toute une voiture ! Les gens se retournaient sur notre passage. Rouge écarlate, des ailerons arrière (une nouveauté pour l'époque), des formes rondes et généreuses et sa petite merlette argentée sur le bout du nez…

Merlette ! À ce mot, mon cerveau fit « tilt ». Il n'existe qu'une seule marque de voiture au monde qui arbore une merlette. Il s'agit de l'oiseau dessiné sur les armoiries du fondateur de la ville de Détroit : le très renommé Cadillac. Au début des années 1900, on emprunta son nom et ses armes pour baptiser l'une des plus luxueuses automobiles : la Cadillac ! Cette frêle dame grisonnante possédait, enfouie dans un cabanon délabré, une de ces petites merveilles qui datait de… de quelle année au juste ?

— C'est une 1941, décapotable.

Je… capotais ! Un modèle rarissime dormait dans sa cour et elle venait tout juste de penser à installer un système antivol. Je me voyais déjà caressant délicatement la peinture brillante de la solide carrosserie. J'imaginais les garnitures chromées, les ailes bombées, le cuir odorant recouvrant les banquettes, la capote beige repliée vers l'arrière. Et que dire de l'adorable merlette perchée sur le capot arrondi! J'en salivais comme un gamin devant la vitrine d'un marchand de chocolat.

— Comptez sur moi, votre garage va devenir un fort imprenable. Les éventuels voleurs s'y casseront les dents. Je connais un bon endroit pour acheter votre système: la quincaillerie Ladouceur sur le croissant St-Rock. Ce n'est pas un magasin à grande surface, mais le service y est personnalisé. Le propriétaire vous donnera des conseils et des explications sur l'utilisation de…

— Alors, qu'est-ce qu'on attend? Allons-y tout de suite.

Je découvris là un des principaux traits de caractère de ma cliente. Promptitude dans l'action. Elle n'avait pas de temps à perdre.

J'admets qu'à son âge j'aurais eu plutôt tendance à penser comme elle. Elle se précipitait déjà pour enfiler une veste et attraper son sac à main. Néanmoins, je devais la retenir.

— Il faudrait d'abord passer par le garage pour que je puisse prendre les mesures et vérifier que le cadre de la porte est en bon état pour recevoir le système.

— C'est vrai. Suis-moi!

J'obéis avec l'impression d'être sous les ordres d'un général. Je décelais chez elle un réel bonheur à faire marcher les gens au doigt et à l'œil. Vivant seule, commander devait lui manquer ! De quoi son mari était-il mort, au juste ? D'une surdose d'autorité ? Je chassai rapidement cette pensée en approchant du lieu saint où se terrait la huitième merveille du monde.

La lourde porte se souleva en grinçant. Je clignai des yeux pour m'habituer à l'obscurité qui régnait dans le garage dont l'unique et minuscule fenêtre disparaissait sous les toiles d'araignées. La Cadillac aussi. Il me fallut beaucoup d'imagination pour reconnaître une voiture aussi luxueuse dans le tas de ferraille qui s'offrait à ma vue. La vieille dame remarqua ma déception. Elle crut devoir m'expliquer :

— Mon mari est mort au volant de son automobile, ou plus précisément lorsqu'il en a été éjecté. Il avait évité de justesse un accrochage avec un gros camion. Mais la voiture a fait quelques tonneaux avant d'arrêter sa course dans des buissons. Peut-être aurait-il survécu, si le toit avait été fermé. Enfin, c'est la vie !

La vie et sa fin brutale, cruelle. La Cadillac, quant à elle, a survécu avec quelques séquelles. La carrosserie en porte des marques évidentes que l'on n'a jamais essayé de camoufler. Les bosses et les éraflures ont permis à la rouille de s'installer pour faire ses ravages. La belle peinture a perdu son lustre. Le capot et le coffre arrière ont joué de l'accordéon. Le phare avant gauche éclaté lui donne l'air d'un borgne. Le toit a adopté une position qui interdit de le remettre en place. Seul le pare-brise semble avoir été miraculeusement épargné. Ainsi que la charmante merlette qui nargue le temps sur son perchoir de tôle!

— Le moteur fonctionne encore. Du moins, la dernière fois que j'ai mis le contact, il a bien réagi. L'extérieur seulement a été abîmé. Après l'accident, c'est un ami qui a rapporté la voiture ici. Je ne l'ai jamais ressortie. Je n'en avais pas le courage. Elle contient trop de bons et de mauvais souvenirs entremêlés. Mais elle fait partie du patrimoine familial que je veux léguer à ma fille. Il est donc hors de question que je la laisse sans surveillance.

— Je pourrais aussi vous la remettre en état, si vous le voulez. J'ai quelques notions en réparation et en entretien d'automobiles.

Et pour cause! Doug s'acharne à garder sa Mustang, qu'il me force à bichonner à longueur d'année. Cette survivante des années 1970 s'est peu à peu transformée en symbole sacré. Mais ça, c'est une autre histoire.

— Tu en serais capable! Vraiment? C'est mon jour de chance, aujourd'hui! Vite, prends les mesures. Fais aussi la liste de tout ce dont tu as besoin pour les réparations.

En femme pratique et bien organisée, elle sortit un crayon et un carnet de son sac à main. Moi, je fis apparaître un galon à mesurer du fond de ma poche (déformation professionnelle héritée d'un père magicien). Quelques minutes plus tard, nous refermions soigneusement la porte du garage. Tout excitée, elle babillait avec animation tandis qu'on se dirigeait vers la rue.

— C'est ma fille qui sera heureuse! La voiture de son père remise à neuf, comme si on effaçait l'accident! Je vais lui faire la surprise. J'attendrai que les réparations soient terminées pour lui montrer le résultat. Tu travailleras dans le secret. Pas un mot à personne. Vivi n'en croira pas ses yeux.

— Bonjour, maman. Qu'est-ce que je ne croirai pas?

Au détour de la maison, Vivi venait de surgir devant nous. En chair et en os. Les yeux inquisiteurs et le ton autoritaire. Un mètre soixante. Soixante-dix kilos, minimum, coincés dans un ensemble de jogging lilas et gris. Perlant de sueur à la suite d'une trop longue course. Cheveux courts, bouclés, poivre et sel. Prénom: Viviane. Nom de famille: Visvikis. Activité principale (à part le jogging pour tenter de perdre sa culotte de cheval): directrice adjointe à la polyvalente... Avoir eu une gomme, je m'étouffais avec.

Sans le savoir, avais-je posé le pied en terrain dangereux? Pendant un instant, je crus marcher sur des sables mouvants tellement j'avais l'impression que le sol se dérobait sous moi. L'effet de surprise, probablement. Toutefois, ma nouvelle patronne paraissait tout à fait à l'aise.

— Vivi chérie! Comme c'est gentil de venir me voir. Approche que je t'embrasse, ma Doudouche!

Je possède un imaginaire assez vaste, mais découvrir une Doudouche en madame Visvikis débordait bien au-delà du cadre de mes fantaisies. Pourtant, Vivi baissa sagement la tête pour que sa mère applique un long baiser sonore sur son front. Devant cette femme menue, Double-V, telle qu'on la surnomme à l'école, redevenait la petite fille à sa maman. J'en fus tout ému.

— Comment! Tu cours encore! Tu vas te crever à t'essouffler ainsi. Tu es en nage. Repose-toi un peu. Entre, je vais te préparer une tasse de thé. J'ai des petits gâteaux au miel, tes préférés…

Toutes les mères du monde se ressemblent. Leur fibre maternelle vibre tellement fort au fond de leur cœur qu'elles écrasent sans s'en apercevoir la fierté naturelle de leur rejeton. Il est vrai que certaines vibrent tant qu'elles pourraient concurrencer un ouragan. Madame Visvikis fait partie de celles-là. Et ma Doudouche par-ci; et ma Vivi chérie par-là; je te fais couler un bain ou je te prépare une douche… Pourquoi pas une séance de manucure?

Double-V cherchait désespérément un moyen d'endiguer le flot des bontés de sa mère, sans la brusquer ni la vexer. «Non, maman. Merci maman, mais… Ce n'est pas nécessaire. Je n'ai pas vraiment faim. Juste un verre d'eau. J'en ai encore pour quinze bonnes minutes de course. Pourquoi? Mais maman, tu le sais!»

Sa mère savait très bien pourquoi sa fille pratiquait le jogging; malheureusement, elle refusait de l'admettre. Elle tenta même de tirer profit de ma présence.

— Qu'est-ce que tu en dis, toi? Est-ce que ça a pour cinq sous de bon sens de se mettre dans un état pareil? Juste pour maigrir!

Voilà, le mot était lâché! Maigrir égale grosse et tous les horribles qualificatifs qui s'ensuivent. La directrice me lança le regard meurtrier qu'elle ne pouvait décemment pas décocher à sa mère. Frustration, honte, colère, orgueil bafoué allaient se déverser sur moi comme une pluie torrentielle si je ne réagissais pas rapidement.

— Oh, mais le jogging, c'est excellent pour la santé! L'exercice garde le système cardio-vasculaire en bonne condition. Tout le monde devrait en faire au moins une demi-heure par jour. D'ailleurs, si Dieu nous a fait cadeau d'un corps en bonne santé, à notre naissance, il nous faut L'honorer et Lui rendre grâce en prenant soin de nous. C'est comme la parabole des talents cachés. Il vaut mieux les faire fructifier car…

Madame Visvikis mère ne m'écoutait déjà plus. Puisque je n'abondais pas dans son sens, je devenais inutile pour gagner sa cause. De son côté, madame Visvikis fille me scrutait avec des yeux déjà moins chargés d'émotion. Son caractère belliqueux cédait le pas à la curiosité.

— Voilà une réflexion pleine de sagesse, jeune homme! Un commentaire comme on en entend rarement de nos jours. Est-ce que tu fréquentes mon école? Je ne me rappelle pas t'avoir rencontré.

Son école! Comme on dirait ma voiture, ma maison, mon chat… et mon élève. Double-V fait montre d'un sens de la propriété très prononcé. Il fallait que je m'en souvienne lors des réparations de la Cadillac et du garage.

— Je n'ai pas l'habitude de me faire mettre à la porte des cours. C'est probablement pour cette raison que vous ne m'avez jamais remarqué. Je m'appelle J.-C. Dumbell. Je suis en cinq. L'an prochain, j'irai au cégep Rosemont, en sciences humaines.

Parfait! Maintenant qu'elle connaissait mon nom et mon statut social, elle pouvait retrouver un air plus souriant. En fait, dans les rapports avec les gens, tout tourne autour du « Qui es-tu donc, toi, l'étranger? ». Plus on donne d'informations sur soi, moins les gens se troublent de notre présence inhabituelle. C'est un truc à Doug. Qui fonctionne à tout coup. Ou presque.

— La belle affaire! Et que nous vaut ta visite chez ma mère?

J'ouvris lentement la bouche, cherchant des mots qui ne venaient pas. Devais-je ou non parler des réparations que j'allais entreprendre? Madame Visvikis mère vint à ma rescousse.

— Je viens d'engager ce charmant garçon pour m'aider dans certaines tâches.

— Maman, oublies-tu qu'il y a déjà quelqu'un qui coupe ton gazon et qui fait ton ménage?

— Je ne parle pas de ça! Il s'agit de… de… de lire!

— Quoi!

Je me suis retenu pour ne pas m'écrier en même temps que la directrice. La vieille dame était prête à inventer n'importe quel mensonge pour cacher son secret. Alors, j'opinai du bonnet, les doigts croisés dans le dos, priant pour que Doudouche gobe le leurre.

— Eh oui! Je dois bien l'admettre, mes yeux vieillissent. Mes nouvelles lunettes ne m'aident pas tellement. Les mots s'embrouillent et je finis par me taper un mal de tête. J'ai donc embauché un lecteur.

— Une lectrice aurait fait pareil, sinon mieux. Il y a davantage de filles qui aiment la lecture. J'en connais une pas très loin d'ici qui se ferait un plaisir de…

— Vivi!… Tu me déçois! Ton attitude s'appelle du sexisme. Et c'est très vilain. D'ailleurs, ce garçon adore lire. N'est-ce pas, Célestin?

— Oh oui, madame! Ça me passionne!

— Tu vois, Vivi! Bon, nous allions à la bibliothèque avant ton arrivée. Si tu veux bien nous excuser. D'ailleurs, toi, il te reste encore quinze minutes de course. Je ne te retiens pas.

Et elle se mit trottiner sur le trottoir en tournant carrément le dos à sa fille. Encore plus hébété que la directrice, je suivis ma patronne en me mordant les lèvres. Je tâchais de ne pas éclater de rire tout en pensant: «Pincez-moi, quelqu'un, je dois rêver!»

3

La semaine suivante, les travaux débutèrent. Le garage se transforma en atelier. Pour mener à bien ma tâche, il me fallait régler un problème de logistique. L'horaire posait certaines difficultés. Je devais éviter de me retrouver, armé d'un tournevis, nez à nez avec Doudouche, ou il me fallait, à tout le moins, troquer mes outils pour un livre. Et lorsqu'on sait que la fille visitait souvent sa mère à l'improviste, on comprend que j'étais toujours sur les nerfs !

Quant au matériel, je le cachais sous la voiture, en espérant que Vivi chérie ne fouille pas partout. J'avais beau être fils (adoptif) de prestidigitateur, j'en avais plein les mains, plein les poches.

Je m'attaquai d'abord à la portière. Ce travail aurait été grandement facilité si la brave dame avait accepté que je sorte la Cadillac du garage. Malheureusement, elle ne voulut rien entendre. Elle refusait net d'exposer son antique trésor aux yeux concupiscents de ses voisins. Depuis plus de cinquante-cinq ans, n'avait-elle pas réussi à dissimuler son bien le plus précieux ? Cette luxueuse voiture était destinée à demeurer cloîtrée à vie. Je souhaitais qu'elle change d'avis le jour où la voiture aurait retrouvé sa splendeur d'antan.

Éperonné par cette espérance, j'abordai cette besogne, plein d'enthousiasme. Tandis que j'ouvrais mon coffre à outils, madame Visvikis s'installa sur une chaise inconfortable, près de moi. Pas trop, afin de ne pas nuire à mon ouvrage, mais suffisamment pour me garder à l'œil durant les travaux. Essayez d'imaginer votre grand-mère assise à côté de vous lors d'un examen de sciences du ministère, et vous comprendrez ce que je ressentais. Je redoutais ses suggestions et ses commentaires, voire ses ordres. Mais elle ne disait mot! Pendant une heure interminable, elle garda le silence, immobile, les yeux braqués sur moi, épiant mes moindres gestes. Cela me parut pire que d'être un canard surveillé par un chien d'arrêt pointant son museau en ma direction, prêt à m'attaquer si je faisais mine de me sauver.

N'y tenant plus, j'engageai la conversation sur le seul sujet qui me vint à l'esprit, par association d'idées :

— Aimez-vous les chiens? Ils font de bons compagnons pour les gens vivant seuls.

Je l'avoue, je n'avais rien dit d'original, mais au moins cela avait le mérite de détourner un peu son attention de mon travail.

— Je n'ai pas besoin d'un chien. Ces sales bêtes font des tas partout et je n'ai pas envie de mettre le pied là-dedans. Ou alors, ils creusent des trous dans le parterre et ruinent un gazon en moins de deux. Ils jappent et laissent du poil dans toute la maison. Je déteste ces bêtes.

— J'ai l'impression d'entendre ma mère. Elle m'a répondu la même chose le jour où je lui ai demandé de m'en acheter un.

— Parce que toi, tu adores les chiens, je suppose!

— Adorer ne convient pas parfaitement pour exprimer ce que je ressens. Disons plutôt qu'il s'agit d'un rêve d'enfant. Oui, lorsque j'étais tout petit, j'ai vu un film dans lequel un garçon possédait un superbe labrador. Une scène, entre autres, me plaisait davantage. Le gamin courait dans une immense prairie en compagnie de son chien. Il riait et criait son nom à tue-tête: «Rex! Rex! Attrape le bâton, Rex!» Il lui lançait une branche que la bête rapportait stupidement sans poser de questions. Et ils recommençaient, inlassablement. Sans blague, j'en rêvais la nuit. En y repensant aujourd'hui, je crois que ce qui m'avait tellement frappé, et rendu envieux, c'était le pouvoir de cet enfant. Il était le propriétaire d'un être vivant qu'il contrôlait au doigt et à l'œil. La jouissance du pouvoir! Alors, j'ai harcelé ma mère pour qu'elle me donne un Rex. Je me suis montré si persuasif que le jour de ma fête, Rex dormait sur mon lit.

La vieille dame s'exclama, courroucée et méprisante:

— Ta mère a cédé! De nos jours, on laisse gagner les enfants. Tu devais être fier de toi, n'est-ce pas?

— Pas vraiment, non. Je me suis vite rendu compte que je n'avais pas réellement obtenu ce que je désirais. Mon Rex refusait de rapporter les bouts de bois que je lui lançais. Il refusait de courir, tout court. Il ne répondait jamais à son nom. Il faisait ses besoins n'importe où dans la maison, jusque sous mon lit. Dès que je voulais l'approcher, il courait se cacher derrière un meuble. Si je le sortais dans la cour, il se sauvait en se glissant sous la clôture. Le promener en laisse était un enfer, il figeait sur place et m'obligeait à le traîner. Il grignotait mes cahiers et mes lacets de souliers. Il saccageait tout sur son passage. Bref, il n'en faisait qu'à sa tête! Et, qui plus est, ce n'était même pas un labrador.

— Quelle espèce de race têtue t'avait-on offerte?

— La plus nuisible de toutes, un hamster!

Dans mon dos, j'entendis un son incongru. Je me retournai vivement pour observer madame Visvikis qui pouffait de rire. La bouche grande ouverte, les yeux plissés, elle se tenait les côtes à deux mains, tordant bizarrement son corps menu. Au bout d'un long moment, elle se calma enfin et reprit son souffle.

— Alors…, alors, ta mère t'a bien eu! Rex, le cochon d'Inde.

Je me gardai bien de la reprendre sur les différences mineures qui existent entre les hamsters et les cochons d'Inde (que l'on devrait plutôt appeler des cobayes, soit dit en passant). La vieille dame ne se trompait pas tellement. La belle Marie n'avait pas cédé à mes supplications. Aucun chien n'a jamais franchi notre porte.

— En effet! Néanmoins, Rex et moi sommes devenus inséparables. Il participait à tous mes jeux et à toutes mes expériences. Je lui ai fabriqué un berceau avec le fond d'une boîte de céréales et des rondelles de Mississippi. À chaque poussée, il était propulsé hors de son lit de fortune, roulait sur le plancher et se relevait tout étourdi. De là m'est venue l'idée de tapisser de billes le fond de sa cage. Si je m'amusais à le voir glisser et perdre l'équilibre à chaque pas, je trouvai par contre l'opération de nettoyage des billes longue et dégoûtante.

«Ensuite, je suis passé au manège pour mieux vérifier les effets de la force centrifuge. C'était méchant mais terriblement drôle d'observer Rex, le dos collé à la paroi de l'essoreuse à salade, les griffes accrochées au panier, les babines relevées sous la pression. Malheureusement, les sphincters de Rex n'ont pas tenu le coup. J'ai dû acheter une nouvelle essoreuse à ma mère. Pauvre Rex!

«Je jouais parfois au hockey avec lui. Je l'enfermais dans sa cage métallique en forme de boule, celle qu'il utilisait pour faire de l'exercice, et il me servait de rondelle. Jusqu'à ce que je manque le filet d'au moins un mètre. La cage a éclaté en frappant le mur de ciment de la maison du voisin. Rex a survécu, cette fois-là.

«Je me rappelle aussi quand je le transformais en coureur automobile. Un minuscule casque de GI Joe sur la tête, solidement sanglé sur ma voiture autoguidée, il aurait pu faire mordre la poussière à Jacques Villeneuve! Je tenais les manettes et aucune manœuvre n'était trop risquée à mon goût. Je l'ai même piloté sur un tremplin de ma fabrication pour le saut de la mort. Dans son bolide, il a fait trois pirouettes avant de retomber cul par-dessus tête.

« Je l'ai ramassé, tout mou, les yeux vitreux. J'avais beau le secouer, l'asperger d'eau, lui parler, il ne réagissait plus. Il m'a fallu accepter la triste réalité, Rex était passé de vie à trépas. Alors, j'ai prié. À genoux dans le carré de sable, les mains jointes devant le trou que j'avais creusé à la hâte, le regard fixé sur deux bâtons de Popsicle attachés en croix, j'ai essayé de trouver les mots pour me racheter. Je ne crois pas y être parvenu ; j'étais trop ébranlé pour exprimer ce que j'éprouvais. Tout ce que j'ai réussi à dire fut : « Petit Jésus, je vous retourne Rex, il ne fait plus mon affaire ! » Cela a déplu au Seigneur. Il me l'a renvoyé sur-le-champ. Rex a été secoué de spasmes et de soubresauts. Puis, il a ouvert un œil. Il a couiné bizarrement. Et finalement, du fond de sa tombe béante, il s'est redressé sur ses pattes. Je devais me rendre à l'évidence, Rex survivait à tout, surtout à mon amour féroce. »

Des larmes perlèrent au coin des yeux de madame Visvikis, ce qui ne l'empêcha pas de rire de plus belle.

— Et… ensuite, qu'est-ce qu'il lui est arrivé, à ton souffre-douleur ? Quel nouveau plan diabolique as-tu inventé pour t'amuser ?

— Pour dire vrai, sur le coup, je me suis désintéressé de Rex. Si même Dieu n'en voulait pas dans son paradis, pourquoi l'aurais-je désiré, moi? Sans trop le laisser paraître, je m'organisai pour l'oublier. Soit dans la poche à fermeture éclair d'un pantalon que je déposais dans le panier à linge sale pour qu'il profite d'un petit tour de laveuse. Malheureusement, les mères vident toujours les poches avant le lavage. Soit dans la voiture, toutes fenêtres fermées, la journée la plus torride du mois de juillet. Il fut sauvé *in extremis* par mon père qui manqua toutefois de l'écraser sous la pédale de frein. Soit dans la cour, en espérant que le chat du voisin l'aperçoive. Rex ne se laissa pas faire. Il se débattit et cria si fort que la voisine accourut au secours de son minou.

« Je me rendais compte que mon amour se transformait inexorablement en haine. Je pris donc une grave résolution : Rex et moi, nous devions nous séparer pour notre bien mutuel. Je l'ai déposé sur le trottoir et je lui ai ordonné de partir, de traverser la rue et de ne plus jamais revenir. Puisque du haut de ses quelques centimètres, il n'apercevait ni mes yeux ni mon doigt pointé sur l'horizon, il a simplement fixé le bout de mes souliers sans comprendre. Je l'ai poussé un peu, dans l'espoir qu'il décolle, qu'il sorte de ma vie. Peine perdue, il a sauté sur mon pied et a grimpé le long de mon pantalon. J'ai craqué. Je l'ai remis dans ma poche, déchiré entre le désir de lui tordre le cou et l'envie de le caresser. J'admets que moi non plus je n'aurais pas aimé qu'on m'abandonne sur le trottoir du boulevard de La Passerelle (la plus grosse rue du Faubourg St-Rock) à l'heure où la circulation est la plus dense. »

— Il est increvable, ce hamster !

— Oh non ! Il est mort. De vieillesse. Une nuit, il dormait dans sa cage, quand il a cessé de respirer. Il souffrait d'asthme depuis un certain temps. « Poussière, tu es. Poussière, tu resteras. Et poussière t'étouffera ! » Il est parti pour son dernier voyage dans le camion des éboueurs. J'avais passé l'âge de jouer à réciter des oraisons funèbres pour un animal domestique.

Je me suis tu. Je considérais que le sujet était clos. Madame Visvikis, au bout de quelques instants, prononça tout bas, se parlant à elle-même :

— Quel drôle d'animal ! C'est un de cette trempe-là dont je rêvais…

— Ne me dites pas que vous m'enviez mon hamster ! Un véritable petit monstre à batterie !

Elle sourit en me scrutant d'un air bienveillant. J'en éprouvai un certain malaise. Qu'avait-elle derrière la tête ?

— C'est de toi que je parlais. Sous ton attitude polie et tes allures de garçon bien élevé se cache un dragon à l'imagination déchaînée.

— N'est-ce pas le cas de tous les enfants ? Ils peuvent commettre les pires bêtises dans la plus totale innocence. Ils ne s'aperçoivent même pas qu'ils agissent mal.

— Permets-moi d'en douter ! Ma fille, par exemple, toute petite, elle se faisait un point d'honneur de dénoncer les mauvaises actions.

Viviane Visvikis n'a pas tellement changé! Tous les cancres de La Passerelle vous le diront. D'ailleurs, il serait vain d'espérer se transformer du tout au tout en vieillissant. Dans ce cas, j'ai bien peur que mon avenir s'annonce déplorable!

— Les enfants distinguent clairement le bien du mal, poursuivit madame Visvikis. Pour peu qu'on le leur apprenne, cela va de soi. Comment réagissaient tes parents à tes expériences zoologiques?

— Avec sévérité. Je passais d'abord par le confessionnal avant d'être isolé pour méditer sur mes fautes.

— Ils t'emmenaient à l'église pour te confesser au curé! Il y a une éternité que je n'ai pas entendu parler d'une telle pratique. Ils sont très croyants, tes parents.

Voilà! Elle venait de m'ouvrir la porte. Allais-je en profiter pour lui déballer mon baratin de parfait prédicateur en herbe? Bien sûr que oui!

— Mes parents vivent dans la foi et dans l'espoir d'un paradis céleste à la fin de leurs jours, mais ils se passent allègrement du curé et de son sacerdoce. Nos confessions s'apparentent davantage à des aveux publics de culpabilité et de repentir.

À genoux dans le sous-sol, devant tous les fidèles de la maisonnée, je devais tenter d'expliquer mes agissements fautifs. Puis, chacun, à tour de rôle, avait le droit de me blâmer pour que j'en ressente la plus grande honte et m'éviter ainsi de retomber dans les mêmes travers. Malheureusement, ils n'obtenaient pas toujours les résultats escomptés, puisque je recommençais dès qu'ils avaient le dos tourné. Ce que je me gardai bien de dire à la vieille dame, trouvant préférable de lui donner une vision d'ensemble plus positive de ma piété.

— Mes parents se méfient des intermédiaires entre eux et le Tout-Puissant. De plus, ils divergent d'opinion sur plusieurs points théologiques avec l'Église, comme sur la place qu'y occupent les femmes, en général, et Marie, en particulier.

Un éclair de curiosité passa dans les prunelles de la vieille dame, ce qui m'incita à continuer dans cette voie.

— Je crois qu'il faut s'ouvrir les yeux sur les enseignements de l'Église. Surtout quand je songe qu'il fut un temps où on insinuait que les femmes ne possédaient pas d'âme! De là a découlé la chasse aux sorcières car, logiquement, si Dieu n'habite pas le corps de la femme, c'est le diable qui y loge. À cette époque-là, la Mère de Jésus ne représentait pas grand-chose. Un contenant aussi négligeable qu'une enveloppe ou un plat Tupperware! Les peintures du temps la montrent soumise, les yeux baissés, anonyme, chétive, fade, presque laide. Il ne fallait surtout pas que les femmes puissent se vanter que l'une d'entre elles ait réussi l'exploit de mettre au monde le Fils de Dieu. Mais ce qui irrite davantage mon père, c'est la manière dont certains hommes se sont approprié l'histoire de la vie de Jésus pour la tourner à leur avantage. Au fond, le Christ était d'abord et avant tout un beau parleur.

— Pardon! Qu'est-ce que tu me chantes là?

— Je ne blasphème pas, n'ayez crainte. J'utilise le mot *parleur* dans son sens premier, c'est-à-dire personne éloquente, orateur. Je tente seulement de replacer le phénomène de Jésus dans sa juste mesure. Jésus n'a jamais voulu instaurer une nouvelle religion. Il est descendu sur Terre en tant que messager de son Père. Ce sont ceux qui L'ont suivi qui ont écrit ses paroles. Ils ont aussi organisé et structuré son enseignement en système complexe. Lui qui, au départ, désirait combattre l'injustice et l'abus de pouvoir, a été utilisé après sa mort spectaculaire pour rassembler des milliers de fidèles et les soumettre à la volonté d'hommes à l'ambition illimitée. Et, contrairement à ce que l'Église a longtemps cherché à nous faire croire, Jésus n'était pas misogyne. Les femmes occupaient une place importante dans sa vie. Il leur permettait même de discuter avec Lui, lors de ses sermons. Il les jugeait pleines de bon sens et capables d'influencer positivement leurs proches.

— Quel discours étrange ! Tu me fais penser au loup déguisé en mère-grand. Tu caches bien tes canines sous un châle de bonne femme.

Vrai, cette vieille dame me plaisait de plus en plus ! Elle saisissait la dualité qui m'habite depuis toujours : le bien et le mal se livrent un rude combat au plus profond de mon être. En surface aussi, d'ailleurs ! Mais avec des antécédents comme les miens, est-ce tellement surprenant ?

— Ne vous inquiétez pas, vous n'avez rien du Petit Chaperon rouge. Je ne vous croquerai pas.

— Je n'ai pas peur. D'abord, parce que je sais me défendre. Ensuite, parce que je ne vois pas quel serait ton avantage à me bouffer tout rond. Et puis… j'aime assez les loups. Ceux dans ton genre, du moins.

Comment aurais-je dû réagir devant cet aveu prononcé sur un ton narquois? À n'en pas douter, elle se moquait de moi. Quoique je ne puisse l'affirmer avec certitude. Elle se taisait et, moi, j'hésitais à lui demander d'expliquer sa remarque. Dans un silence lourd, je poursuivis mon travail jusqu'à ce que la sonnerie vienne m'interrompre.

— Le téléphone! Vite, va répondre!

Je sautai en bas de l'escabeau et courus à la maison. Je décrochai pour entendre la voix affectueuse de Doudouche.

— Tu vas bien, maman? Pourquoi as-tu pris autant de temps à répondre? Serais-tu malade?

— Euh… Maman, je veux dire madame Visvikis est en excellente santé. Elle est à l'extérieur dans le… jardin. Je vais la chercher, un instant, je vous prie.

— Qui est à l'appareil? Le jeune Dumbell? Inutile d'aller la chercher, j'arrive.

Elle débarqua effectivement cinq minutes plus tard. La porte du garage était verrouillée. Madame Visvikis et moi-même étions assis dans la cour et je lisais à haute voix *La Fée carabine*. L'alerte avait été chaude. Quelques secondes plus tôt, Viviane aurait découvert le pot aux roses!

4

Mes samedis et mes dimanches se succédaient dans le labeur et le mystère. Tandis que je maniais tournevis, pince ou marteau, la vieille dame et moi discutions de la vie. La mienne, celle de Jésus et de Marie, et parfois la sienne, dans cet ordre précis. Invariablement, vers la fin de l'après-midi, Doudouche nous rendait visite et je me plongeais dans *La Fée carabine*. Et j'avoue que j'y prenais plaisir. Ces fins de semaine me procuraient beaucoup de satisfaction.

Premièrement, j'aime travailler de mes mains. Monter, démonter, réparer, assembler ne présentent aucune difficulté pour moi. C'est un nouveau défi à relever chaque fois que j'entreprends une tâche.

Deuxièmement, parler de moi ne me pose pas de problème, certains me qualifieraient même d'extraverti. Je suis né sur la scène et, comme une vedette, j'ai besoin d'un public!

Troisièmement, débattre de théologie m'amuse. Vous devriez me voir aller durant les cours d'enseignement religieux: le professeur lui-même en perd son latin.

Et quatrièmement, j'ai découvert un nouveau divertissement : la lecture. Moi qui n'ai droit qu'à l'Ancien et au Nouveau Testament, à la maison, j'ouvrais les yeux sur un monde différent grâce « au » livre. Toujours le même. En y repensant maintenant, je comprends davantage l'intérêt de madame Visvikis pour celui-ci. Sur la page couverture du bouquin, on aperçoit, au second plan, un petit garçon jouant avec son chien (non, il ne se nomme pas Rex, mais Julius le Chien). Au premier plan, vue de dos, se tient une vieille dame, chignon gris sur le crâne, châle de laine bleue couvrant ses épaules et, au bras, un panier à légumes en osier d'où dépassent les feuilles fanées d'un poireau et la crosse luisante d'un fusil. Jolie salade ! À la fin du chapitre un, la mémé a déjà liquidé, avec un P. 38 datant de la Seconde Guerre mondiale, un jeune inspecteur qui désirait faire sa bonne action quotidienne en l'aidant à traverser la rue ! *La Fée carabine* porte bien son nom !

Quel rapport avec ma propre petite vieille ? En apparence, aucun. Je jugeais madame Visvikis incapable d'un acte aussi violent, tout en voulant bien admettre qu'elle puisse manifester un penchant pour l'autorité. Je sentais le dictateur qui sommeillait en elle, prêt à prendre les rênes pour diriger sa vie (et celle des autres) d'une main ferme et implacable. Ce que le personnage du livre accomplit à sa manière en refusant aussi catégoriquement et définitivement l'aide de qui que ce soit. Demeurer le maître de sa destinée ! Prouver que malgré la vieillesse on peut rester indépendant et ne compter sur personne pour sa défense. Et cela, madame Visvikis y tenait mordicus.

C'est justement ce à quoi je songeais lorsque je pénétrai dans le bureau de Doudouche. Oups! pardon… de la directrice adjointe de la polyvalente La Passerelle. La plupart des élèves y entrent à reculons, convaincus qu'ils auront à répondre d'un mauvais comportement, de retards accumulés ou de copies non remises. Moi, je poussai la porte, le sourire aux lèvres, apparemment serein. N'étais-je pas un élève modèle? Ma conscience d'étudiant ne trouvait rien à me reprocher. Et puis, j'avais déjà une petite idée de la raison de ma convocation à son bureau.

— Bonjour, madame Visvikis! Comment allez-vous, ce matin?

— Mal, merci! Assieds-toi. Je suis débordée de travail et je n'ai pas beaucoup de temps à t'accorder.

Telle mère, telle fille! Le début de sa réponse ressemblait étrangement à celle de sa mère. Je me calai néanmoins dans le siège qu'elle me désignait.

— Toi et moi, nous avons à discuter. Je t'ai bien observé avec ma mère. Tu te montres poli, aimable, serviable. Et elle a de plus en plus d'affection pour toi. Alors, qu'est-ce que tu mijotes?

— Euh…

— Ne fais pas semblant de ne pas comprendre. Tu es en train de t'immiscer dans la vie de ma mère. Dans quel but?

— Eh bien…

— Ce n'est pas pour rien que tu es toujours à la maison. Si la vue de ma mère baisse, moi, je te vois très bien venir. Et je n'ai pas l'intention de te laisser abuser de sa naïveté sans intervenir.

— Je ne…

— Je me suis renseignée sur ton compte. Tu ne déranges peut-être pas en classe, mais tu colportes une doctrine religieuse qu'on pourrait qualifier de dérangeante pour un esprit candide.

— C'est que…

— Non, c'est toi qui m'écoutes. Ouvre grand tes oreilles, je n'ai pas terminé.

En effet, elle en avait long à dire. Elle posait les questions, donnait les réponses et je devais me taire. En jargon policier, on appelle cela cuisiner un présumé coupable. C'est comme pour le homard, on ne lui laisse pas le temps de défendre son point de vue avant de le plonger, tête première, dans l'eau bouillante! Je commençais à avoir chaud. Pour me sortir de la marmite, je levai timidement la main. En ancienne enseignante qu'elle est, elle cessa de me sermonner pour me demander, sur le ton ennuyé de quelqu'un qu'on dérange:

— Qu'est-ce qu'il y a?

— Je comprends vos craintes, mais cela n'a rien à voir avec mes opinions personnelles.

— Alors pourquoi t'accroches-tu aux pas de ma mère? Et ne me dis pas qu'elle a découvert en toi un lecteur hors du commun. Tu lis comme un pied, je t'ai entendu.

Merci du compliment! Mais enfin, devais-je lui avouer la vérité? Je décidai de tâter d'abord le terrain.

— Votre précipitation à connaître la véritable raison de ma présence chez madame votre mère me met dans l'embarras. Elle m'a, en quelque sorte, fait promettre de garder le secret. Pour mieux vous faire la surprise. Elle est convaincue que cela vous plaira énormément. Elle serait tellement déçue si vous l'appreniez avant que j'aie achevé mon travail.

— Quel travail? Ne m'a-t-elle pas assuré que tu lui servais de lecteur? Donc, c'est un mensonge de ta part.

— Non, c'est une cachotterie de sa part. Moi, ça ne me dérangerait pas de vous mettre au courant. Mais si elle découvre que j'ai vendu la mèche, elle ne me fera plus confiance.

— Pour l'instant, c'est « ma » confiance que tu dois obtenir. Et ce n'est pas en demeurant aussi nébuleux que tu y arriveras. Donne-moi davantage de détails si tu veux que je te croie.

— Si je vais régulièrement chez votre mère, c'est à cause de ceci.

Je lui tendis ma carte professionnelle. Elle l'examina en fronçant les sourcils, puis elle murmura :

— Mais qu'est-ce qu'elle fabrique, encore?

Elle éleva la voix et me fixa dans le blanc des yeux. De quoi faire pâlir n'importe quel élève.

— Cette fameuse surprise, se classerait-elle parmi les cadeaux de fête? La mienne est passée depuis deux bons mois. Les événements impromptus? Ou je ne sais trop quoi encore?

— Je la placerais plutôt dans la case « héritage ».

Pendant quelques instants, elle ne dit mot et m'observa avec une attention étonnée. Son cerveau fonctionnait à toute vitesse pour découvrir le véritable objet de ma tâche.

— Jeune homme, je n'aime pas jouer aux devinettes. Il m'incombe de veiller à la sécurité morale et physique de ma mère. Aussi, je t'ordonne de me renseigner avec plus de précision sur vos agissements, sinon je m'organiserai pour que tu ne mettes plus les pieds à la maison.

Quel magnifique exemple d'amour filial! Il me semblait avoir sous les yeux la version féminine de Sylvester Stallone: «Si tu touches à ma mère, je te décapite!» Sauf que ma tête, j'y tiens. Alors, je suis passé aux aveux les plus complets.

— Elle s'escrime encore avec cette vieille bagnole! s'écria-t-elle lorsque j'eus terminé mon récit. À sa place, il y a longtemps que je l'aurais envoyée à la ferraille.

La panique s'empara de moi. Elle n'allait pas jeter cette merveilleuse antiquité comme on se débarrasse de ses choux gras! Cette éventualité me révulsait. Je me devais d'intervenir pour éviter cette perte irréparable pour l'humanité. D'accord, l'humanité en question se résumait à madame Visvikis mère et à moi. Mais quelle faute avions-nous commise pour être accablés d'une telle punition? Celle de croire en la continuité des êtres à travers les objets. La vieille dame était persuadée qu'une parcelle de l'âme de son mari survivait dans la Cadillac. Lorsque j'embrassais du regard cette beauté métallique, j'y discernais toute l'ingéniosité de ses concepteurs. Je n'allais pas laisser Doudouche balayer cela d'un coup de torchon de ménagère trop zélée.

— Avez-vous songé qu'à son âge votre mère n'a guère de divertissements ? En dorlotant cette voiture, qui lui rappelle tant de souvenirs de jeunesse, elle se donne un but. Si seulement vous pouviez la voir quand elle en parle. Elle paraît rajeunir de vingt ans. Elle s'excite comme une petite fille. Elle fait des projets. Et surtout, elle semble tellement contente à l'idée de vous faire plaisir. Bien sûr, vous avez le droit d'être contre le fait de réparer et de protéger cette automobile, mais… pouvez-vous vous opposer au bonheur de votre mère, si éphémère soit-il ?

Madame Visvikis se mordillait la lèvre inférieure. Je faisais vibrer sa corde sensible : l'amour qu'elle portait à sa chère mère. Doudouche réfléchissait probablement au peu de temps qu'il restait à vivre à sa maman. Pourquoi lui gâcher ses dernières années en se chamaillant pour une broutille ? Pour la forme, ne pouvant s'avouer vaincue aussi facilement, elle émit toutefois une dernière objection.

— Ça va lui coûter les yeux de la tête !

— Je ne demande que le salaire minimum. Ce n'est pas beaucoup pour un mécanicien doublé d'un menuisier. Pour ce qui est des matériaux, elle les choisit elle-même. Vous devriez l'entendre marchander le prix du moindre boulon. Je crois que ça l'amuse.

— Je m'en doute un peu. De toute façon, elle peut bien faire ce qu'elle désire avec son argent.

Mais… tu as bien dit que tu allais lui installer une espèce d'alarme, un système antivol ? Penses-tu que tu pourrais en placer un dans la maison ? Quelque chose qui la relierait à moi ou qui sonnerait dans mon condo en cas de danger. Je m'inquiète tout le temps pour elle. Une chute ou un problème de santé peut survenir n'importe quand à son âge. Elle a quatre-vingt-cinq ans.

— Je peux me renseigner sur ce qui existe dans ce domaine. Et je me ferai un plaisir de l'installer. Mais… allez-vous lui laisser savoir que j'ai vendu la mèche ?

Eut-elle pitié de moi ou de sa mère ? Je ne sais trop. Elle me gratifia d'un sourire en coin.

— Ne t'inquiète pas, je sais fermer les yeux lorsque c'est nécessaire.

C'est ainsi qu'avec la bénédiction de Doudouche je pus continuer ma mission.

5

L'avez-vous vue passer ? Regardez bien, elle approche rapidement du coin de la rue. Elle va tourner. Elle est disparue ! J'espère que vous l'avez reconnue. Hé oui, il s'agissait de madame Viviane Visvikis. Au pas de course, dans son ensemble en coton ouaté gris. Elle a déjà commencé à maigrir. Cela ne paraît pas tellement, mais elle a perdu six kilos et demi. C'est du moins ce qu'elle a affirmé à sa mère devant moi, samedi dernier. Je vous en parle parce qu'un fait cocasse est survenu à propos de son régime.

L'autre jour, moins d'une heure après sa séance de jogging, je l'ai aperçue au marché d'alimentation. Comme je ne recherche pas spécifiquement sa présence, je me suis arrangé pour qu'elle ne me voie pas en me glissant derrière une pile de cannettes ou en changeant furtivement d'allée. Bref, je l'épiais un peu pour éviter de tomber nez à nez avec elle entre une betterave et un concombre. Je remarquai donc ses achats. Dix boîtes de biscuits (des feuilles d'érable aux whippets, en passant par l'avoine et les pépites de chocolat), cinq pains tranchés blancs et bruns, trois pots de beurre d'arachide, autant de confiture de fraises et de choco-noisette, divers fromages et des dizaines de petits jus.

Je songeai malgré moi que sa ligne en souffrirait. Mais comme cela ne me concernait pas, je m'occupai de mes propres emplettes. Puis, le hasard voulut que je suive la même route qu'elle. Moi à pied, elle en voiture. À quelques rues de là, je remarquai son auto stationnée devant une école primaire, celle que j'ai fréquentée, enfant. En passant à côté de l'automobile, je notai qu'elle était vide. Les sacs de provisions ne s'y trouvaient plus. Un vague souvenir me revint alors en mémoire.

Le quartier où j'habite n'est pas réputé pour sa richesse, au contraire. Il arrive trop souvent, malheureusement, que des écoliers partent pour l'école le ventre creux, sans déjeuner, et parfois même sans avoir soupé la veille. Ce qui n'est guère recommandé pour bien participer aux cours. Je me rappelle que, régulièrement, certains de mes camarades de classe, les plus démunis, allaient passer quelques minutes dans le bureau du directeur. Ils en revenaient tout joyeux avec, à l'occasion, des restes d'aliments au coin des lèvres. Tout le monde savait qu'ils allaient se nourrir aux frais de l'école, mais on faisait semblant de l'ignorer pour ne pas mettre mal à l'aise le jeune dans le besoin.

Jamais, auparavant, je ne m'étais soucié de connaître la provenance de cette nourriture. Il me paraissait normal, à l'époque, que l'école réponde à nos besoins. Aujourd'hui, je me rends compte que ça ne va pas de soi. Tout se paie. Même la becquée. Étant donné que le ministère de l'Éducation coupe partout, qui ouvre sa bourse pour pourvoir au bien-être alimentaire de ces jeunes ? De généreux donateurs anonymes. Madame Visvikis était-elle de ce nombre ?

Elle avait eu amplement le temps de sortir ses achats de la voiture et de les apporter à l'intérieur. Toutes les lumières de l'école étaient éteintes, sauf une, celle du bureau du directeur. Je voyais très clairement ce qui s'y passait. Du trottoir, je découvrais une nouvelle Visvikis : la charitable ! Je l'observai déballer ses sacs, rayonnante, heureuse de rendre service.

Vraiment, la famille Visvikis n'avait pas fini de m'étonner !

Je terminai mon travail sur la porte du garage un dimanche, le premier du mois de mai. Le soleil nous réchauffait la couenne. Pas un seul nuage n'assombrissait le ciel. Plus beau que ça, tu vis au paradis. Assise sur une chaise de jardin, madame Visvikis apprivoisait sa manette de commande à distance en suivant mes conseils.

— Le bouton de droite en haut permet d'ouvrir la porte.

Elle appuya et Sésame s'ouvrit sous ses yeux ébahis. Elle avait insisté pour que j'ajoute ce gadget à son installation. Elle tâta aussitôt une seconde touche, puis une autre et encore une autre. La porte se ferma, se verrouilla, se déverrouilla.

— Et le bouton rouge, il sert à quoi?

— À mettre en fonction le système d'alarme. Si vous le pressez et qu'ensuite quelqu'un ouvre la porte, la sonnerie se déclenche et la lumière de la cour s'allume.

— Mais… qu'est-ce que je fais pour l'en empêcher? J'ai déjà appuyé!

Les gens d'un certain âge affichent tous les mêmes réactions face aux nouveautés du monde moderne : ils paniquent comme si l'objet allait leur exploser entre les mains. Mais il faut les comprendre, ils n'ont pas grandi avec le zapping.

— Alors, dans ce cas, c'est très simple. Le dernier bouton, en bas, coupe le système. Il vous suffit de toujours le presser avant d'ouvrir la porte et le tour est joué. Voilà, maintenant, je peux entrer dans le garage sans que rien se produise.

J'étais certain qu'elle ne toucherait plus à aucun bouton. Grave erreur de ma part, elle remit le système en marche sans prévenir. Quand je soulevai la porte, mon cœur bondit dans ma poitrine. Le bruit strident de la sirène me sciait les oreilles. Stupéfaite, la vieille dame laissa échapper la télécommande. Je me précipitai donc pour la ramasser et faire cesser ce vacarme. Tous les voisins étaient à présent prévenus que madame Visvikis possédait un système antivol. Ce qui n'était pas une mauvaise affaire, au fond. En effet, si, une nuit, ils entendaient l'alarme, ils auraient le réflexe de mettre le nez à la fenêtre, comme en ce moment, et peut-être d'appeler la police.

Malheureusement, madame Visvikis semblait terrorisée, traumatisée par l'épouvantable hurlement de son installation.

— C'est horrible! Si jamais un voleur le déclenche, j'en mourrai de honte!

— Euh…, pourquoi?

— Parce que mes voisins vont se réveiller.

— C'est justement le but de l'opération.

— Le pire, c'est que je ne saurai pas comment arrêter le bruit. Je serai tellement énervée que j'en oublierai comment le système fonctionne.

— Tant mieux! Ainsi, on prendra l'alerte au sérieux et les policiers viendront. Ils se débrouilleront bien pour le fermer eux-mêmes.

— Tu crois?

Comment ne pas être ému par sa fragilité? En cet instant, je regrettai qu'elle ne fût pas ma grand-mère, car je l'aurais embrassée sur les deux joues. Je n'ai jamais connu la mienne et c'était la première fois que je prenais réellement conscience de cette carence. D'un autre côté, si elle avait été mon aïeule, j'aurais été le fils de Doudouche. Et puis non, très peu pour moi!

— Madame Visvikis, il ne faut pas craindre de brancher le système. Premièrement, ça ne mord pas, c'est simplement bruyant et très surprenant, je vous l'accorde. Ensuite, c'est pour la bonne cause. Pensez à ce qu'il protège. Votre souvenir le plus cher : la voiture de votre défunt époux. On ne peut pas la laisser à la merci des voleurs. D'ailleurs, il est grandement temps que je m'y mette et que je la répare. Elle sera comme neuve. Un vrai bijou! Un rubis précieux dans un écrin aussi résistant qu'un coffre-fort!

Elle sourit de nouveau. Sa frayeur passagère s'était évaporée à l'évocation de la beauté retrouvée de sa Cadillac. À ce moment précis, je désirai ardemment me montrer à la hauteur de ses espérances.

J'entrai enfin dans le garage en me remémorant les judicieux conseils de Doug. Cher Doug aux doigts de fée! J'en ai appris, des choses, avec lui. Autant en mécanique et en bricolage qu'en théologie. C'est donc tout naturellement que je me mis à parler de Jésus et de Marie tout en réparant la carrosserie.

— Vous est-il déjà arrivé de vous poser des questions telles que: comment le monde a-t-il été créé? Par le souffle de Dieu, selon la version de la Bible, ou par un phénomène physique comme le big-bang proposé par les scientifiques? Ou alors, a-t-il toujours existé, si on accepte la notion d'infini? J'avoue que l'éternité, sans commencement ni fin, me laisse songeur.

— Ne seraient-ce pas des paroles blasphématoires dans la bouche d'un jeune homme qui se dit aussi féru de religion que toi?

— Ça dépend. Si je vivais à l'époque de Jésus, on m'accuserait à coup sûr d'être impie ou de manquer de respect envers le Tout-Puissant. Dans ce temps-là, il fallait se soumettre aux paroles divines sans les contester. Mais mon père m'a appris à ne rien tenir pour acquis. D'après lui, il faut garder l'esprit ouvert aux nouvelles découvertes.

— Vivre avec son temps, quoi!

— Plus que cela, il est essentiel de faire une place importante dans son cœur et dans son âme à l'émerveillement. Vous comprenez ce que je veux dire?

Madame Visvikis fronça les sourcils, signe de profonde réflexion, avant de me répondre:

— Un peu comme saint François d'Assise qui s'émouvait devant la nature et les animaux?

— Non, je ne parle pas de naïveté ou de simplicité, mais de capacité à l'étonnement. Ce qui nous pousse à nous poser des questions fondamentales sur l'essence même de la vie ou de la mort. Par exemple, lorsque j'étais petit, quelque chose me troublait énormément: dans quel monde allais-je atterrir à ma mort? On peut discourir longuement sur la vie après la vie, pourtant, moi, quand j'y pensais sérieusement et que je fermais les yeux, je ne voyais rien. Aucune image mentale ou représentation allégorique ne traversait mon cerveau. Je n'apercevais que le néant le plus noir. Un gouffre noir et insondable, plus sombre que la nuit la plus obscure. Cette couleur sinistre s'imposait à moi, gommant toute possibilité de vie future ou toute espérance en un monde meilleur.

— C'est surprenant avec l'éducation que tu as reçue!

— En effet. Aussi, j'hésitais à en parler avec mes parents, gardant pour moi ma hantise de l'au-delà. Car j'en faisais une véritable obsession. Je n'arrivais plus à dormir, mon corps se couvrait de sueurs froides à l'idée de ce rien tout noir. Rien : quel mot effrayant ! Ça diffère totalement de « vide ». Le vide suppose d'abord un contenant, donc un élément quelconque qui existe et auquel il ne manque que le contenu. On peut remplir un vide, un peu, à moitié ou au complet. Mais un rien reste éternellement un rien ! Malgré tous mes efforts, je ne parvenais pas à meubler ce néant, je ne trouvais rien qui convenait ! Je devais me rendre à l'évidence : en mourant, j'entrerais dans le néant. Alors, je me suis affolé. Plus je vieillissais, plus je me rapprochais de la mort et plus je glissais inexorablement vers le néant. Il fallait que quelqu'un m'aide à stopper cette descente lugubre qui me rendait fou. Je décidai de consulter un spécialiste.

— Tu es allé chez un psychiatre ?

— Non, j'ai rencontré un prêtre. Derrière la grille du confessionnal, il m'écoutait sans que je puisse observer ses réactions. Après mes longues explications, il a réfléchi un moment et a décrété : « De toute évidence, ce que vous entrevoyez dans vos rêves est une vision abrégée de l'enfer. Le noir représente les ténèbres où règne le diable. Et le gouffre, ou le néant si vous préférez, symbolise la chute dans le péché. Votre inconscient a construit un barrage entre vous et le monde de Dieu. Peut-être avez-vous mal agi pour que votre subconscient réagisse de la sorte. Qu'avez-vous à vous reprocher, mon fils ? N'ayez crainte, Dieu est là pour vous écouter et vous absoudre de vos fautes. Parlez en toute confiance. »

À ces mots, la vieille dame émit un drôle de soupir, mi-exaspéré, mi-désappointé. Je me tournai vers elle, silencieux. Elle pinçait les lèvres, en proie à une sourde colère. Puis, elle explosa :

— Tous les mêmes, ils se cachent derrière leur soutane pour décréter des âneries ! Quand on cherche un soutien moral, il ne faut pas en attendre d'eux. Les curés ne comprennent jamais rien.

— C'est vous qui blasphémez, maintenant ! Et ce n'est pas très charitable de votre part de mettre tous les curés dans le même panier. L'aumônier de l'école, Marchessault, est très bien, lui. Et puis, la réponse du curé, au lieu de me décourager ou de me rabaisser, m'a amené à me poser des questions sur le pourquoi de ma vision plutôt que sur le comment. En effet, ce que je vois dans ma tête est créé par moi-même et ne reflète pas nécessairement la réalité. Finalement, l'opinion émise par l'ecclésiastique me renvoyait à mes parents et à leur philosophie. J'ai enfin pu en discuter avec mon père. Je lui ai décrit ma vision avec précision et ce que je ressentais quand j'y étais confronté. Avec le sérieux dont il fait toujours preuve, il me scrutait en grattant sa barbe. Je pouvais presque entendre le crépitement de l'électricité sautant d'un neurone à l'autre dans son cerveau. Après une longue réflexion, il m'a répondu : «Pourquoi noir?»

Je me tus et je jetai un coup d'œil à madame Visvikis, guettant sa réaction. Elle arrondit les yeux et la bouche.

— Est-ce tout ce qu'il a trouvé à dire ? Il n'est pas loquace, ton père !

— Il a l'habitude d'aller droit au but. C'est pour cette raison que j'ai accordé autant d'importance à sa petite question. Mon rien pourrait être de n'importe quelle couleur : bleu, rouge, jaune, à carreaux, à pois roses. Pourtant non, il est noir, d'un noir profond. L'élément de profondeur qui se rattache à la couleur noire s'avère primordial dans l'évaluation et l'interprétation de mon obsession.

— Comment cela ? Je ne vois pas ce qu'il y a de si important là-dedans.

— Au début, moi non plus, je n'ai pas saisi toute l'importance de cette notion de profondeur. Mais, à force d'y réfléchir, je me suis forgé une petite idée là-dessus. La profondeur, c'est la qualité de ce qui va au fond des choses, au-delà des apparences. Toutes ces images sur le ciel, l'enfer et le purgatoire ne sont que des images, justement. Il faut savoir regarder derrière ces tableaux. N'oublions pas que les rédacteurs de la Bible, en particulier de l'Évangile, parlaient par allégories, par images, quoi ! Il y a peu de chance que l'eau se soit jamais transformée en vin ou que les poissons aient sauté d'eux-mêmes dans la barque du pêcheur. Ce ne sont que des comparaisons pour attirer l'attention des gens et leur rendre accessible l'invisible.

— Drôlement pratique, en tout cas, pour berner les gens !

— Lorsqu'on recherche ce but, oui, je l'admets. Mais je croirais plutôt qu'il s'agissait de vulgarisation : une forme de pédagogie. De toute façon, les gens, à l'époque, se faisaient une piètre idée du monde. Les lois de la physique et de la chimie commençaient à peine à se forger. Pour en revenir à la profondeur, il s'en dégage une idée de force et de durabilité, comme dans la profondeur des sentiments que rien ne peut altérer. C'est ce que nous possédons de plus intime, mais aussi de plus difficile à pénétrer.

— Le cœur du problème ! Comment peux-tu expliquer le néant en relation avec un élément aussi dense que ton noir profond ?

— Par l'invisible à mes yeux de novice et d'ignare. Je ne possède pas encore les compétences pour déchiffrer ce mystère.

La vieille dame secoua brusquement la tête, découragée par mes propos.

— Foutaise que tout cela ! Il serait grandement temps que je m'occupe de ton éducation avant que tu ne deviennes une cause perdue ! Si tu ne vois qu'un énorme rien tout noir, c'est justement parce qu'il n'existe pas de vie au-delà de la mort.

— Vous ne croyez pas au paradis ! m'exclamai-je, fortement ébranlé.

Les yeux pétillants de malice, elle me demanda :

— Et pourquoi pas un purgatoire pour les vers de terre ou un enfer pour les amibes ? Vraiment, les hommes sont d'un orgueil démesuré ! Pourquoi nous ? Pourquoi aucun autre représentant du règne animal ne pourrait-il se prévaloir d'une survie de l'âme ? Parce que nous utilisons un langage complexe ? Dernièrement, j'ai vu à la télé un singe qui comprend un vocabulaire d'une centaine de mots, autant de noms d'objets que d'idées. Est-ce parce qu'il possède une âme, lui aussi? Je le répète : foutaise, foutaise, foutaise!

Elle ajouta même avec une certaine ironie :

— Dieu merci! Je ne crois pas en Lui! Et que le ciel m'en préserve!

— Madame Visvikis! Vous êtes une athée! Pourquoi ne pas me l'avoir dit auparavant? J'ai dû drôlement vous embêter avec mes discours sur Jésus et Marie.

— Pas du tout! Eux, ce sont des personnages historiques. Ils ont marqué leur époque, et toutes celles qui ont suivi, d'ailleurs. On peut discuter de leur vie, de leur influence et du mythe que les gens ont créé autour d'eux. Tu en connais un bout là-dessus et tu ne m'ennuies jamais. N'empêche que si l'athéisme était une religion, je dirais que tu es sur la mauvaise pente et pour te sauver de ta déchéance morale, je tenterais désespérément de te ramener dans la bonne voie, celle de la négation de toute divinité. Mais, comme j'ai pour credo «Vivre et laisser vivre», je ne te harcèlerai pas pour te faire changer d'idée. Quoique… je meurs d'envie de te proposer un petit livre, un chef-d'œuvre de la littérature en passant, qui met en vedette le ridicule, celui des croyants, pour prouver la culpabilité d'un non-croyant. Je ne prétends pas que ce dernier était innocent, non, mais… tu verras. Attends, je vais te le chercher.

Elle courut à la maison, aussi rapidement que ses pauvres jambes ankylosées par un long moment d'inactivité pouvaient le lui permettre. Moi, je la regardai filer. Je n'en revenais tout simplement pas.

Cette dame aux cheveux gris, si gentille, si avenante, qui m'écoutait avec autant d'attention depuis des semaines, vivait dans l'athéisme le plus profond! Elle ne croyait ni à Dieu ni au diable, et pas davantage à l'au-delà. Jamais auparavant quelqu'un ne m'avait avoué une telle conviction d'une manière aussi catégorique. Étrangement, je la trouvai plus attachante après cette révélation. Il fallait une dose énorme de courage pour vivre ainsi, avec la certitude qu'après la mort on n'existe plus. Tout s'éteint! Non seulement la lumière ne se rallumera plus, mais elle cessera d'exister, disparaissant pour toujours.

Cette idée qui me bouleversait tant la laissait sereine. Tout en enviant son cran, je songeai que je devais agir. Mon premier réel défi s'offrait enfin à moi. Ramener dans le droit chemin une brebis égarée. C'est vrai, j'ai oublié de vous informer de la carrière que j'envisage : prédicateur. Je rêve de devenir le plus célèbre *preacher* de toute l'Amérique. Si je parvenais à convaincre madame Visvikis de l'existence de Dieu, je pourrais persuader n'importe qui de n'importe quoi.

Pour combattre efficacement l'ennemi (si je peux me permettre ce terme, malgré toute l'affection que j'éprouve pour cette chère dame), il faut en connaître les failles et les points forts. Je décidai donc de lire le bouquin qu'elle me rapportait. Un vieux livre aux coins écornés par une lecture abusive. Un titre bizarre : *L'Étranger*. Un auteur qui m'était inconnu : Albert Camus. Il était temps pour moi de mettre à jour mes connaissances sur l'univers sombre de l'athéisme.

6

Je me rappelle très bien ce dimanche. On gelait! Si, en février, il s'agit d'une situation qui s'accepte de bon gré, en mai, c'est une autre paire de manches (longues, si possible!). Surtout que le printemps nous avait gâtés jusque-là. Pourtant le travail devait se poursuivre. Délaissant pour une fois la Cadillac, je m'acharnais sur l'alarme que Doudouche avait décidé d'offrir à sa mère. Une sorte de cadeau boomerang. Tout en faisant plaisir à sa mère, elle se contentait en s'assurant de pouvoir courir au secours de la vieille dame en cas de besoin.

Malgré la sueur qui me pissait dans le dos à cause de mes deux chandails de laine, mes doigts s'engourdissaient de froid. Essayez de travailler dans un courant d'air glacial! Dans l'embrasure de la porte d'entrée grande ouverte, juché sur un escabeau chambranlant, je maniais le tournevis en pestant contre le bois vermoulu. Rien ne semblait vouloir tenir. Étais-je devenu maladroit ou ma patience s'évanouissait-elle? Toujours est-il que la transpiration coulant sur mon front me brûlait les yeux et je n'arrêtais pas de les frotter et de les essuyer, à tel point que ma vision se brouillait.

C'est alors que j'eus une apparition. Plus belle et plus gracieuse que je n'aurais pu me la représenter dans mes rêves les plus fous. La Madone en personne avait surgi devant moi. Ébloui, je ne parvenais pas à détacher mon regard de son visage ovale au teint pur et frais, de sa bouche au sourire d'ange, de ses yeux doux perdus dans les nuages de ses méditations. Elle flottait devant moi, immatérielle et, néanmoins, très réelle, accordant toute son attention et sa tendresse à l'Enfant-Dieu. Mes mains ne bougeaient plus, tendues vers le vide, prothèses inutiles au prolongement de ma pensée. D'ailleurs, pouvais-je encore penser? Devant une telle révélation, un tel miracle, mon cerveau refusait de fonctionner. Mon corps attendait que je revienne à la réalité. Madame Visvikis m'y aida.

— Elle est plutôt jolie, n'est-ce pas?

Il fallait bien me rendre à l'évidence : si elle aussi voyait mon apparition, c'est que celle-ci n'avait rien de surnaturel. La jeune fille, que dis-je, la jeune femme (à dix-sept ans, on n'est plus une enfant!) qui passait sur le trottoir, juste sous mon nez, était bien constituée de chair et d'os comme vous et moi (mieux que vous et moi!). Je tentai aussitôt de reprendre une attitude normale et, d'un ton détaché, je marmonnai :

— Oui, elle n'est pas mal.

Tout comme on n'apprend pas à un vieux singe à faire la grimace, on ne peut espérer berner une amoureuse de la trempe de madame Visvikis. Elle comprit, à ma réponse évasive, que la demoiselle me plaisait énormément et s'écria, tout excitée :

— Ne bouge pas, je te la présente !

Comment aurais-je pu bouger ? Du haut de mes quatre marches, je m'agrippais à la porte pour ne pas chuter lorsque la tornade Visvikis s'avisa de sortir en trombe pour rattraper la fille. Emmitouflée dans son manteau en véritable chat sauvage, les pieds enfoncés dans des pantoufles en Phentex, elle se précipitait vers la rue en criant : « Petite ! Petite ! Attends une minute ! » J'eus l'irrésistible envie d'entrer et de verrouiller la porte derrière moi pour cacher ma honte, mais je me retins. On ne jette pas sa patronne dehors ! Surtout quand celle-ci désire bien faire.

J'ignore quel langage elle tint à la jolie nymphe qui poussait un landau. Double ! Je me rendis soudain compte qu'elle s'occupait de deux enfants, des jumeaux en tous points semblables. Penchée sur les gamins, madame Visvikis devenait la grand-mère qu'elle n'avait jamais été et gazouillait des mots doux aux petits. Elle ne m'a pas expliqué sa technique, mais l'instant suivant, le trio la suivait vers la maison. Avant d'arriver à la porte, les jumeaux s'extirpaient de leur landau pour mieux envahir la demeure, au grand dam de leur gardienne qui essayait de les retenir.

— Laissez-les, laissez-les faire, s'exclama la vieille dame. J'ai des petits gâteaux au miel. Je suis sûre qu'ils aimeront cela. Venez, venez, les garçons.

71

Sur mon escabeau perché, j'essayai de me faire petit et invisible. Peine perdue, madame Visvikis veillait à ce que le contraire se produise.

— En passant, je vous présente…

— C. D.!

Les initiales jaillirent d'elles-mêmes de la bouche de la beauté. Je lui fis un sourire gêné. Elle se reprit aussitôt :

— Euh… pardon. Je voulais dire J.-C.

— Salut, Caroline, répondis-je sans enthousiasme.

Le mal était déjà fait. Madame Visvikis possède une excellente ouïe. Déjà, elle fronçait les sourcils, cherchant à comprendre.

— Je vois que vous vous connaissez. Bizarre qu'elle t'appelle par les initiales de Célestin et de Dumbell !

— C'est que… j'ai confondu avec un autre et…

Pauvre Caroline, elle cherchait à se racheter. Je pris le parti de tourner cela en plaisanterie.

— C'est le surnom qu'on me donne à l'école. Et je parie que vous ne devinerez pas pourquoi. Il n'y a pas le moindre rapport avec mon nom ni avec la musique. C. D. signifie le Capoté de Dieu !

La vieille dame resta saisie un instant puis pouffa de rire.

— Il te va à merveille ! J'adore ce surnom. C'est absolument charmant. Suivez-moi, les petits, la cuisine est par là.

Caroline, qui ne s'attendait pas à une telle réaction, retrouva son sourire d'angelot. Celui pour lequel j'étais prêt à me damner. Au figuré, entendons-nous bien !

Et nous sommes demeurés face à face, si l'on peut dire, moi, en haut de l'escabeau, elle, dans le portique, mal à l'aise, à attendre que les jumeaux reviennent de la cuisine, un gâteau à la main et des miettes autour du bec. Madame Visvikis leur fit un gros bisou, leur flatta la tête et leur envoya de nombreux signes de la main en les regardant partir. Puis, elle se tourna vivement vers moi et me lança à brûle-pourpoint :

— Alors, qu'est-ce qu'elle t'a dit ?

— Euh… rien.

— Comment, rien ? Je m'organise pour te laisser seul avec elle quelques minutes et tu n'en profites même pas ! Tu me déçois, mon garçon.

— Je ne savais pas quoi lui dire, moi !

— Elle t'intimide à ce point ? Alors, c'est plus grave que je ne le pensais. Lorsqu'on n'arrive pas à exprimer ses sentiments, c'est qu'ils sont profonds. Mais pas nécessairement noirs, ajouta-t-elle rapidement avec un sourire en coin.

Les miens se coloraient d'une teinte indéfinissable. Caroline me plaisait depuis longtemps. Je l'avais remarquée dès mon entrée au secondaire. À l'époque, son chum était un grand con, fatigant et fendant, plus vieux qu'elle d'un an ou deux. Il s'appelait Charles, si je me rappelle bien. Ensuite, elle l'a échangé contre son cousin. Pas le sien, celui de Charles. Lui aussi était assez grand. Un sportif qui jouait soit au hockey, soit au tennis. Le beau Stéphane ! Heureusement pour Caroline, il ne ressemblait pas du tout à Charles, ni par le physique ni par le caractère. Ce garçon possédait un grand sens de l'humour, qualité importante aux yeux de certaines filles. Dont Caroline, évidemment! Cela dura un bon bout de temps. Ensuite, on aurait pu croire qu'il y avait eu un grand vide dans sa vie puisqu'elle ne sortait avec personne. Détrompez-vous. Ce n'est pas parce qu'aucun garçon ne l'invite au cinéma ou à danser que son cœur ne vibre pas d'amour. En secret, elle ne rêvait qu'à lui. Lorsqu'elle suivait le même cours que lui, elle ne le quittait pas des yeux. Cela m'étonne que personne d'autre ne s'en soit rendu compte. Moi, je trouvais son coup de foudre tellement évident que je n'ai jamais osé la détourner du superbe Maxime. Maxime, le petit génie de secondaire 3. Maxime faisait semblant de ne pas la voir, car il se sentait trop gêné pour l'aborder. Depuis que Maxime est entré dans un collège privé, on n'entend plus parler de lui et Caroline soupire en silence. Je parierais un petit jésus de plâtre qu'elle pense encore à lui. Alors, j'évalue mes chances de lui plaire à une contre cent. Tant pis!… Mais elle est drôlement jolie.

— Je ne vois pas ce qu'elle pourrait trouver d'intéressant à un gars comme moi. La religion la laisse froide ; je l'embêterais avec toutes mes considérations théologiques.

— Alors, parle de ce qui la préoccupe! Tu n'es pas obligé d'évangéliser tous les gens que tu rencontres. Le monde n'est pas rempli que de vieilles folles dans mon genre qui s'amusent à t'écouter jacasser.

Je jacasse, moi? Je devrais peut-être me soumettre à un examen de conscience en profondeur. Néanmoins, cela m'a fait un pincement au cœur de me l'entendre dire. Je me suis senti poussé à répliquer sèchement:

— D'accord, je parle trop et je n'intéresse personne. Vous voyez bien que je ne peux pas plaire à Caroline. D'avance, elle me prend pour un capoté. Elle ne veut rien savoir de moi.

— Pas sûr, pas sûr. Qu'est-ce qu'elle aime, cette Caroline? Les enfants? Probablement, puisqu'elle s'occupe si gentiment de ses petits frères. Mais elle doit en avoir plein les bras, plein la tête, plein le dos avec eux. Aussi, à ta place, je n'aborderais ce sujet qu'en cas extrême, si tu ne trouves vraiment rien de mieux. Que sais-tu d'autre sur elle?

Je haussai les épaules. Pratiquement rien, en réalité.

— Vous qui semblez si bien la connaître, vous devez en savoir plus long que moi à son sujet.

Elle me répondit, l'air étonné:

— Moi! Mais je ne la connais pas du tout, cette petite. C'est seulement la troisième fois que je la vois passer dans la rue. Ses parents ont emménagé de biais avec chez moi, il y a peu de temps. J'ignore même son nom de famille.

— Et vous disiez que vous alliez me la présenter!

Elle me décocha un clin d'œil malicieux.

— J'ai plus d'un tour dans mon sac, mon garçon! Bon, pour en revenir à nos moutons, ou plutôt à notre brebis, creuse bien dans ta mémoire pour te souvenir de ce qu'elle préfère. Aime-t-elle le sport ? La musique ? Le cinéma ? La lecture ?

— La peinture et le dessin !

Je me rappelai soudainement le talent de dessinatrice de Caroline. Ses caricatures de professeurs faisaient parfois le tour de la classe, pour le plus grand plaisir des élèves.

— Bravo, mon garçon ! Maintenant, tu viens de te découvrir une passion immodérée pour les arts plastiques.

Je lui jetai un regard incrédule.

(

— Est-ce que ça te tenterait de m'accompagner au Musée des beaux-arts ?

Caroline releva vivement la tête vers moi. À ses yeux vides, je compris qu'elle était encore noyée dans la chimie 534 (pour une artiste en herbe, elle ne se débrouille pas si mal en sciences).

— Quoi ?

Je répétai ma question en y ajoutant une petite explication.

— Il y a deux expositions, celle de Magritte, un peintre belge surréaliste, et celle du sculpteur Jean-Baptiste Côté. Ses œuvres ressemblent à des caricatures. J'ai pensé que cela te plairait.

Intérieurement, je remerciai madame Visvikis pour ces informations artistiques. J'avais l'air d'un véritable spécialiste ou, au moins, d'un amateur enthousiaste. Caroline resta bouche bée quelques instants. Ce devait être la première fois qu'on lui proposait une telle sortie. Pendant ce court laps de temps, je fondais sur place, embarrassé par ma propre audace. Étais-je fou de croire qu'elle accepterait! L'idée me traversa l'esprit de lui dire «Oublie ça!» et de quitter précipitamment la bibliothèque. Je fus sauvé de ma confusion, non par la cloche, mais par le son mélodieux de la voix de Caroline.

— J'ignorais que l'art bizarroïde t'intéressait. Je t'aurais plutôt vu admirer le chemin de croix de l'oratoire Saint-Joseph!

Elle ricanait, comme d'habitude. Néanmoins, ses yeux gardaient une certaine douceur. Devais-je comprendre qu'elle ne fermait pas complètement la porte? Je lançai de nouveau ma ligne.

— Il faut savoir s'ouvrir au monde moderne. Mon père dirait que la beauté de Dieu se cache partout. Moi, je préfère croire que l'inspiration de l'homme est illimitée. Préfères-tu vendredi soir ou samedi après-midi? En supposant que tu acceptes, bien sûr.

Là, elle rit franchement. Puis, elle cessa net et me considéra gravement.

— C'est sérieux, cette invitation? Bon, bien... D'accord pour vendredi. Samedi, je garde les jumeaux. Tu sais où j'habite? Passe me chercher vers 18 h 30.

Elle fourra de nouveau son joli nez dans son devoir de chimie. J'appris plus tard qu'elle faisait tous ses travaux à la bibliothèque de l'école pour ne pas être dérangée par ses monstres de frères.

Ne me demandez pas comment je suis sorti de là, je ne m'en souviens plus. Mais je ne crois pas avoir lancé un cri de joie ou être parti en gambadant et en chantonnant comme on le voit dans certains vieux films américains. Je sais me comporter avec dignité.

Le vendredi soir, à 18 h 30 pile, je sonnai à la porte de Caroline. Elle était prête. Je poussai un soupir de soulagement en voyant qu'elle était vêtue d'un pantalon (en velours noir). Je lui tendis un casque de motocycliste.

— Salut! Il va falloir que tu le portes. C'est celui de ma mère. Il devrait t'aller.

— Tu… tu as une moto! Je ne t'ai jamais vu la conduire.

Je passai à un poil de lui répliquer qu'il n'y avait pas que Stéphane, son ex, qui avait le privilège d'en posséder une. Mais il est très mal vu de parler des anciens amis de cœur d'une fille que l'on courtise. Conseil de madame Visvikis!

— Normal, mon père refuse que je l'utilise pour aller à l'école. Il préfère que j'évite d'exciter la convoitise et la jalousie. D'après lui, c'est une façon de rester modeste.

Elle prit un air coquin et récita d'une voix faussement pieuse:

— Bienheureux les humbles, les portes du ciel leur seront ouvertes! Je te taquine, ajouta-t-elle très vite.

Si j'ambitionnais de sortir avec elle de façon régulière, je devais m'y habituer et ne pas faire cas de ses railleries. J'optai pour un sourire en hochant la tête.

— J'espère que tes parents ne se tourmenteront pas si je t'emmène en moto. Je sais qu'il y a des gens que ça inquiète.

— Oh, ils seraient d'accord, ne t'en fais pas. De toute façon, ils ne sont pas là pour que je leur demande. Alors, on y va?

L'avantage avec une moto, c'est que les deux passagers sont obligatoirement très près l'un de l'autre. Le désavantage, c'est que le conducteur a les deux mains occupées et qu'il ne peut pas profiter de cette proximité (attention: ne pas confondre avec promiscuité). Néanmoins, je trouvai fort agréable de sentir Caroline collée sur mon dos. Dans mon miroir de droite, je pouvais observer son charmant visage par de brefs coups d'œil. Quoique... avec les vibrations et les nombreux nids-de-poule des rues de Montréal, j'avais l'impression que ses yeux ne se situaient pas au même niveau et que son nez se fondait avec ses lèvres. Dans mon petit rétroviseur, elle ressemblait à un Picasso.

Malgré ce visage déformé, elle paraissait très à l'aise sur la moto. Légère comme une plume, elle ne nuisait pas à ma conduite. Au contraire, son corps réagissait naturellement lorsque je penchais mon engin pour tourner ou dans les manœuvres de freinage ou d'accélération. Devais-je remercier Stéphane de lui avoir montré à se tenir en selle? Sans aller jusque-là, je me réjouissais de son expérience, cela me facilitait la tâche dans les rues bondées de la ville.

Galant homme, je lui offris son billet. Le prix d'entrée pour le musée se monte à un chiffre que je qualifierais de légèrement exorbitant. L'art ne se situe pas à la portée de toutes les bourses! Heureusement que le tarif étudiant existe.

Maintenant, pardonnez-moi, mais j'éprouve quelques difficultés à poursuivre mon récit sans honte. Je dois bien vous l'avouer, de ces deux grandes expositions, je ne garde qu'un souvenir flou. De toutes les peintures étranges de Magritte, je ne m'en rappelle qu'une seule. Celle, un peu déroutante, où l'on aperçoit, par une fenêtre entrouverte, un immeuble de trois étages à l'intérieur d'une autre maison. L'impossibilité architecturale de cette composition m'avait frappé. Pour ce qui est des sculptures de Côté, je rougis davantage. J'ai beau faire travailler les neurones de ma mémoire, je ne vois qu'une seule forme humaine, démesurément longue, maigre, indistinctement mâle ou femelle.

La faute de ce trou de mémoire en revient à Caroline. Je lui accorde qu'elle s'est extasiée sur ces merveilles artistiques, qu'elle m'a exposé ce qu'elle ressentait devant chaque œuvre, qu'elle s'est lancée dans de longues explications sur les diverses tendances picturales. Mais justement, toute mon attention n'était concentrée que sur elle.

Demandez-moi plutôt de vous décrire Caroline et vous verrez par vous-même à quel point elle possède tout pour me plaire. Elle est tant… Son visage est si… Son regard est plein de… Et sa voix… Ce que c'est difficile de dépeindre la perfection! Plus bêtement, je pourrais vous dévoiler qu'elle a les cheveux brun auburn, les yeux vert tendre, un tout petit nez, un menton mignon, une bouche rieuse, qu'elle est toute mince et pas très grande. Mais cela me semble tellement banal comme description que je ne m'abaisserai pas à vous le dire. Tant pis, vous n'avez qu'à l'imaginer à votre convenance!

Devant elle, je perdis tous mes moyens. Envolée, ma facilité d'élocution! Heureusement qu'elle parla pour deux! J'écoutai, conquis par sa voix et son charme. J'enregistrais toutes les informations personnelles sur son compte, mettant cavalièrement de côté les notions qu'elle me déballait en vrac sur l'art. Ma préoccupation première ne visait qu'elle. Jusqu'à notre sortie du musée, elle a entretenu notre conversation. Dehors, sur le perron, elle s'est tue. Puis, au bout d'un instant, elle me demanda simplement :

— Et toi, ta passion, à part la religion, qu'est-ce que c'est?

Je respirai profondément avant de déclarer, un peu gêné :

— Les motos et les voitures. Un sujet de gars, comme tu peux le constater. Je doute que tu t'y intéresses.

— Pourquoi est-ce que les filles n'aimeraient pas la mécanique? Essaie d'en parler pour voir si je vais m'endormir.

— D'accord. Je commence par quoi? Le nettoyage du carburateur? L'ajustement des valves? Le bon fonctionnement du *zypathographe*?

— Aaaah! Fascinant, bâilla-t-elle, un sourire aux lèvres. Si tu me parlais plutôt des endroits que tu as visités en moto.

— Là, j'ai de quoi te tenir réveillée! Pratiquement toute l'Amérique du Nord, de l'Alaska à Baie-Comeau, de Percé à Los Angeles, en passant par tous les coins perdus qui se trouvent entre ces quatre points. J'ai même fait un petit tour au Mexique.

Elle me fixa d'un air ébahi, légèrement sceptique.

— Tu te moques de moi! Comment, à ton âge, pourrais-tu avoir visité autant d'endroits?

— En suivant mes parents, tout bonnement. Tu ne le croiras peut-être pas, mais mon père ne rêve que de porter la bonne parole, celle de Jésus et de Marie, à travers le monde.

— C'est facile à croire. À te regarder aller en classe, je n'ai aucun problème à imaginer ton père en pasteur.

— Tu pourrais être surprise, si tu le voyais. Mais enfin, pour en revenir aux voyages, d'aussi loin que je me rappelle, j'ai passé mes étés sur une moto. Tout petit, on m'installait dans un *side-car*. Derrière la moto, on accrochait une remorque spéciale pour y entasser le matériel de camping. On n'avait pas les moyens de se payer le motel. La nuit, on montait notre tente n'importe où. Dans un champ, sur une ferme, en plein bois, en bordure des chemins. Du moment qu'on dormait à l'abri de la pluie, tout était bon.

— Faut aimer souffrir !

— Douillette, va ! Ce n'est pas si pénible, le camping. Et puis, j'ai eu la chance de voir tellement de choses. On courait les grandes manifestations et les événements spéciaux. As-tu déjà entendu parler des *Americanades* ? C'est un gigantesque rassemblement de motos, en Nouvelle-Angleterre. Des milliers et des milliers de motocyclistes se donnent rendez-vous dans un village à peine plus grand que Sainte-Agathe. Tu as de la difficulté à traverser la rue tellement c'est bondé. Les moteurs pétaradent de tous côtés. Tu ne peux presque pas t'entendre parler.

— Pourquoi ton père t'emmenait là ? Pour voir des motos ?

— Oui, en partie pour cette raison. De plus, c'est situé sur le bord d'un magnifique lac. Mais le but réel de notre déplacement était de répandre la parole divine. Mes parents attiraient l'attention des passants en chantant ou en faisant des trucs de magie, pendant que moi je distribuais des tracts sur Jésus et Marie. Ensuite, mon père prêchait pour ceux qui voulaient bien l'écouter. Partout où l'on allait, le même scénario se répétait.

— Comment as-tu pu endurer de vivre ainsi ? Je serais morte de honte si mes parents avaient eu une idée aussi folle !

Elle semblait tellement découragée et peinée pour moi que je ne pus me retenir de rire.

— Ce n'est pas si dramatique. Au contraire, j'ai eu une enfance exceptionnelle! Je me considère comme chanceux puisque j'ai rencontré un tas de gens et que j'ai discuté avec eux d'idées parfois très divergentes des miennes. Ça m'a permis d'apprendre beaucoup sur le sens de la vie, ainsi qu'à respecter les autres et à devenir humble. Je ne suis qu'un grain de sable dans l'Univers, mais tous les grains de sable sont importants. Et puis, on prenait aussi le temps de visiter, de photographier des monuments ou des paysages, comme on le fait dans toutes les familles qui voyagent. Tu devrais voir notre pile d'albums! Si tu le désires, je t'en montrerai quelques-uns.

Tout en bavardant sur les mystères de ma vie, nous marchions vers le stationnement.

— Maintenant que j'ai passé l'âge de me laisser promener en *side-car*, mon père l'a vendu et je me suis acheté ma propre moto. C'est une vieille Virago, mais elle roule comme un charme. Depuis, on voyage à trois motos.

— Trois? Qui vous accompagne?

— Ma mère, voyons donc! Si tu penses qu'elle accepte de voyager assise derrière mon père, détrompe-toi. Elle adore conduire.

— Tu parles d'une famille! s'exclama Caroline en riant. La sainte famille qui a échangé ses promenades à dos d'âne pour des voyages à moto.

Elle ne croyait pas si bien dire! Marie, Joseph et J.-C. se modernisaient. Il faut bien être de son temps. Les mulets ne passent pas inaperçus à la frontière. J'enfourchai donc ma monture métallique et Caroline prit place dans mon dos.

— Aimerais-tu aller prendre une bouchée ? lui demandai-je avant d'enfiler mon casque. Aux Petites Gâteries, ils font les meilleures pâtisseries de tout le Faubourg St-Rock.

— J'ai justement un petit creux. Je te suis. D'ailleurs, ai-je le choix ?

— Pas du tout ! Accroche-toi, on part !

C

Après nous être rempli la panse, je reconduisis Caroline chez elle. Je n'avais pas vu le temps filer et il était minuit passé lorsque je me stationnai devant sa demeure. Nous n'avions pas cessé de parler de la soirée et pourtant j'avais encore tant à lui dire et davantage à apprendre sur elle. Il m'en coûtait de la quitter aussi vite. Je l'accompagnai jusqu'à la porte pour prolonger ce doux moment. Dans l'air, la gêne flottait, lourde et palpable. Je rêvais d'embrasser Caroline, mais comment devais-je m'y prendre ? Cela m'embarrassait de lui demander la permission. Et les baisers volés qui ressemblent aux becs secs d'une vieille tantine ne m'excitent pas.

Caroline régla le problème pour moi. Elle me fixa droit dans les yeux, souriante, comme toujours.

— J'ai beaucoup apprécié ma soirée. Vrai, je ne t'imaginais pas ainsi. J'avais accepté de sortir avec toi seulement pour le musée. Maintenant, je crois que si tu me demandais de visiter un garage, j'irais. À condition que tu me promettes de ne pas me rouler dans la graisse comme un essieu!

Je l'adore, cette fille! Comment faire autrement? Elle rit si joliment. Elle rit du cœur et des yeux, sans méchanceté, avec de l'esprit. Je ressentis une grande bouffée d'amour. Doucement, au ralenti, je tendis mes lèvres entrouvertes vers les siennes. Plus j'approchais, plus je humais son odeur chaude et suave. Lorsque nos bouches se frôlèrent, un son strident fit sursauter Caroline qui recula vivement.

J'éprouvai à la fois de l'irritation à être privé d'une douceur et de l'inquiétude en reconnaissant ce bruit dérangeant. L'alarme de madame Visvikis déchirait le silence de cette nuit sans lune. Mes yeux pivotèrent les premiers vers la rue, entraînant dans leur mouvement ma tête, mes épaules et finalement tout mon corps. L'impression de ralenti se transforma aussitôt en course effrénée. Sans prendre le temps d'expliquer mes craintes à Caroline, je me précipitai chez la vieille dame.

Les lumières extérieures éclairaient crûment la petite cour de madame Visvikis. La pauvre femme, vêtue d'une épaisse robe de chambre en ratine vert pâle, frémissait et poussait de faibles cris. Sa main fébrile secouait la manette de contrôle. Elle tentait manifestement d'arrêter l'alarme. Lorsqu'elle me vit arriver, elle me lança la manette, tout énervée.

— Comment fait-on? Comment fait-on? hurla-t-elle d'un ton hystérique.

Elle se plaqua les mains sur les oreilles et se recroquevilla sur elle-même. Au même instant, j'appuyai sur une touche et le silence revint. Madame Visvikis se calma aussi. Je voulus alors savoir ce qui avait pu déclencher l'alarme.

— Avez-vous aperçu votre voleur ? Est-ce qu'il y en avait plus d'un ? À quoi ressemblaient-ils ? De quel côté sont-ils partis ?

— S'il y avait un voleur, ce n'était pas prudent de votre part de sortir pour éteindre l'alarme, intervint une douce voix derrière moi.

Ce n'est qu'à cet instant que je me rendis compte que Caroline m'avait suivi. La vieille femme nous regarda tous deux avec un air supérieur, pour mieux cacher sa honte.

— Mais de quoi parlez-vous ? Il n'y a pas un chat dans ma cour, encore moins un voleur. Je voulais seulement... je voulais seulement entrer dans mon garage. Et j'ai tout raté !

Sa fierté s'évanouit d'un coup et les larmes lui montèrent aux yeux. Elle s'en voulait d'avoir ameuté tout le quartier pour une vétille. Caroline tenta de la rassurer.

— Ce n'est pas si grave, voyons donc ! Le bruit n'a pas duré assez longtemps pour ennuyer les gens. Où je demeurais avant, il y avait une voiture dont l'alarme se déclenchait au moins une fois par semaine et son propriétaire ne se donnait même pas la peine de l'arrêter. Lui, il était vraiment achalant !

La vieille dame soupira.

— Je comprends le propriétaire de la voiture. Lui non plus ne devait pas savoir comment arrêter son système. Tous les boutons sont pareils sur la manette. Je ne parviens pas à les différencier. Et sans mes lunettes, je ne les vois même pas. C'est horrible, qu'est-ce que je vais faire ?

— J'ai une idée, suggéra Caroline. J'ai un pot de peinture blanche fluorescente chez moi. Demain, je vous en mettrai une toute petite goutte sur la bonne touche. Même dans le noir, vous ne pourrez pas la manquer.

— Tu crois ? Je m'en voudrais d'abuser de ton temps.

Caroline sourit, réconfortante. Madame Visvikis se détendit complètement. C'était bien charmant tout cela, mais je ne désirais pas finir la soirée ici. Je voulais retourner à mes occupations sur le perron de Caroline. Vous vous rappelez où j'en étais ? Donc, je proposai à madame Visvikis d'entrer dans son garage, maintenant que l'alarme était neutralisée.

— Je n'en éprouve plus le désir, répliqua-t-elle vivement. J'irai une autre fois. Je retourne me coucher, je suis fatiguée. Bonsoir.

Elle pivota aussitôt sur elle-même pour réintégrer son logis. Ni vu ni connu ! Comme si rien ne s'était passé. J'avais encore la manette à la main. Je mis de nouveau le système en marche et je m'empressai d'aller porter la manette à ma patronne. Lorsque nous nous retrouvâmes seuls, sur son perron, Caroline me dit d'un ton enjoué :

— Elle est drôle, ta grand-mère ! Elle court tout le temps après mes petits frères pour les gâter avec des bonbons ou leur faire des guili-guili.

— Désolé de te décevoir, mais je n'ai aucun lien de parenté avec cette charmante vieille dame. Je ne fais que travailler pour elle. Mais tu as raison, il y a des moments où je la trouve hilarante. Bon, où en étions-nous avant d'être interrompus?

— Nulle part! Tu partais, si je me rappelle bien.

— Ah! J'en étais déjà là? On ne saute pas une étape, par hasard?

Elle fit semblant de réfléchir, fronçant les sourcils et plissant bizarrement son nez.

— Mmm... Je ne vois pas, non. À moins que... oui, oui, tu as raison, on oublie quelque chose. On ne s'est pas serré la main.

— Est-ce que je peux échanger ta poignée de main contre un petit baiser?

Elle sourit. D'ailleurs, elle sourit continuellement, Caroline! Mais là, je dénichai de la tendresse au coin de ses lèvres et une légère émotion dans ses prunelles. Peut-être n'était-ce que le reflet de mon propre désir? N'empêche qu'il était hors de question de laisser passer ma chance. J'approchai encore une fois ma bouche de la sienne, très lentement, pour faire durer le plaisir. Je la fixais si intensément qu'à un moment donné son joli visage se dédoubla. Phénomène normal, selon les optométristes!

Au bout de la rue, à l'instant même, une voiture tourna le coin sur les chapeaux de roues, puis bondit en notre direction pour freiner en catastrophe devant la maison de madame Visvikis. Caroline sursauta et je ratai mon baiser. Pour la deuxième fois, je tournai les yeux, déçu et mécontent, vers le nouvel arrivant. Je m'attendais à voir un malotru jaillir de la voiture. Je ne vis que madame Visvikis fille (Doudouche) se précipiter vers la maison de sa mère. Caroline aussi la reconnut.

— Je rêve ou quoi ? C'est Double-V !

— Oh non ! L'autre système a dû se déclencher. Bon, je t'explique. Ma patronne est la mère de la directrice adjointe.

Je lui racontai par le menu le pourquoi et le comment des systèmes d'alarme. Étant donné que vous connaissez déjà tous ces détails, permettez que j'en saute un bout pour parvenir au plus intéressant : le baiser ! Quel moment sublime ! C'est à peine si j'osai tenir Caroline par la taille et la serrer contre moi. Elle embrasse divinement ! Ses lèvres sont pulpeuses à point. Moelleuses comme un nuage… Elle goûtait bon la fraise. À cause de sa gomme à mâcher. Elle m'en a offert un morceau avant mon départ. Pas de ses lèvres, de sa gomme. En la mâchouillant, j'avais l'impression que Caroline m'accompagnait encore. Difficile de quitter le paradis pour le plancher des vaches !

7

Le lendemain matin, lorsque je me présentai chez madame Visvikis, je trouvai la maison étrangement silencieuse. Je sonnai à quelques reprises, mais je n'obtins aucune réponse. J'en déduisis que la vieille dame était sortie, oubliant que je venais travailler ce samedi-là. Pour passer le temps en attendant son retour, je me dirigeai vers le garage. De l'extérieur, tout semblait normal. Je mis le nez au carreau pour jeter un coup d'œil envieux à la Cadillac. Et c'est là que je la découvris.

Madame Visvikis, assise dans sa décapotable, pleurait à chaudes larmes. Vous ne pouvez imaginer le coup au cœur que cela m'a donné! Les soubresauts de ses frêles épaules secouaient tout son corps. Le visage à moitié caché par le papier-mouchoir qu'elle tenait à la main, elle gémissait en haletant. Je me sentis déchiré entre l'idée de ne pas la déranger et celle de lui apporter mon soutien moral. Je me décidai enfin à frapper discrètement.

Elle s'essuya rapidement les yeux, replaça les plis de sa jupe, passa une main dans ses cheveux, puis elle me fit signe d'entrer.

— Bonjour, Célestin, me dit-elle d'une voix blanche. J'ai bien peur qu'aujourd'hui tu ne te sois déplacé pour rien.

— Lorsqu'on peut aider quelqu'un qui souffre, un déplacement n'est jamais inutile. Qu'est-ce qui ne va pas, ce matin ? J'espère que vous ne vous tracassez pas pour ce qui est arrivé hier soir ! Vous finirez bien par apprendre à vous servir de votre manette. Dans un mois, vous en rirez.

— C'est tout de suite que j'aimerais rire ! s'exclama-t-elle en retrouvant un ton plus normal. Pauvre Célestin ! Tout ce travail pour rien !

Je ne compris pas immédiatement à quoi elle voulait en venir. Aussi je gardai le silence pour lui permettre de mieux m'expliquer.

— Après ton départ, ma fille est venue me voir. Elle était dans tous ses états. J'avais oublié de fermer le système de la maison avant de sortir. L'alarme a sonné chez elle. Elle a essayé de m'appeler pour savoir ce qui se passait. Comme je ne répondais pas, elle s'est inquiétée et elle est arrivée ici, tout énervée. Quand elle a compris mon erreur, elle… Ahh !

Elle termina sa phrase sur un grand soupir et un geste de la main qui indiquaient clairement que Doudouche n'était pas contente. Elle continua, exaspérée :

— Les systèmes d'alarme sont des objets de malheur ! Ils m'empêchent de vivre paisiblement. Je me sens tellement stressée. Chaque fois que j'oublierai l'un ou l'autre, j'aurai droit à une crise de nerfs. Soit la mienne, soit celle de Vivi. C'est invivable!

Que répondre à cela? Poussé par le désir de la réconforter, je me penchai par-dessus la portière et je passai mon bras autour de ses épaules.

— Madame Visvikis, murmurai-je, toute nouveauté exige une certaine période d'ajustement. Je suis convaincu que vous ne les oublierez plus à l'avenir. D'ailleurs, aujourd'hui, vous avez réussi à entrer dans le garage sans rien déclencher, n'est-ce pas? Vous voyez que vous en êtes capable. Ce qui peut vous paraître harassant maintenant deviendra vite une habitude, une routine toute simple.

— Si seulement l'effort en valait le coup!

— Si votre mari vous entendait parler, qu'est-ce qu'il penserait? C'est pour honorer sa mémoire que vous protégez sa voiture. Pour que votre fille en profite un jour!

— Justement, elle n'en veut pas, de la bagnole, ma fille! Tout le problème vient de là! Si tu l'avais entendue hier, tu comprendrais mieux comment je me sens. Selon elle, c'est pure folie de ma part de souhaiter redonner une allure de jeunesse à cette vieille patate! Ce sont ses paroles exactes.

Je me sentis légèrement inquiet. Doudouche avait-elle raconté à sa mère que j'avais tout avoué? Madame Visvikis était-elle fâchée contre moi de n'avoir su tenir ma langue? Je retirai lentement mon bras de ses épaules, car mon attitude me faisait penser à Judas. Ne l'avais-je pas un peu trahie?

— Je croyais sincèrement que ça la rendrait heureuse d'apprendre que je faisais réparer la voiture. Pas du tout! Au contraire! Quand je le lui ai dit, elle m'a répondu qu'elle se doutait bien que je faisais une folie depuis quelque temps. J'avais l'air louche avec mon lecteur!

Ouf! La directrice adjointe ne m'avait pas dénoncé. Mais je n'eus pas le temps de me réjouir très longtemps : la suite des explications de madame Visvikis m'ébranla.

— Elle refuse catégoriquement que tu poursuives les réparations. Dépenses inutiles! Voilà son opinion. Dernièrement, elle a étudié mon compte en banque. Je ne disposerais pas des fonds nécessaires pour me permettre cette dépense extravagante. Elle a même ajouté qu'elle ne comprenait pas comment je pouvais y arriver financièrement avec le peu que je détiens. Mais elle ne connaît pas sa mère, elle. J'ai plus d'un tour dans mon sac. À mon âge, il y a longtemps que j'ai appris à survivre. Comment croit-elle que j'ai payé ses études et tout le reste?

Tandis qu'elle parlait d'argent, je me mis à réfléchir. En effet, de quoi vivait cette vieille dame? D'une maigre pension, évidemment. Tout, dans sa demeure, reflétait la pauvreté. Elle ne possédait rien de neuf, à part ses systèmes antivol. Quelle ironie! La valeur totale de ses biens, mis à part la voiture, s'élevait à peu de chose. Alors, avec quoi avait-elle payé tout ce que l'on avait acheté ensemble depuis un mois?

Je devais bien avouer qu'elle était forte dans le marchandage. Pour faire baisser un prix, elle s'y connaissait. Mais ensuite, il faut assurément ouvrir son portefeuille. Elle payait toujours comptant. Elle passait d'abord à la banque. Puis, chez le marchand, elle tirait une liasse de dollars de sa bourse. Elle vérifiait minutieusement la monnaie qu'on lui rendait et on partait avec le matériel. Aussi, jamais je ne me suis posé de questions sur ses finances. Pour moi, il allait de soi qu'elle pouvait défrayer le coût des rénovations ou des réparations. L'intervention de sa fille changeait les données du problème. Madame Visvikis ne roulait pas sur l'or, je devais en tenir compte.

— Votre fille a raison. Tout cela coûte assez cher. Surtout si on y ajoute mon salaire. Alors, c'est décidé, je vous le fais pour rien. Gratuitement. Le système d'alarme est déjà posé. On ne peut pas l'enlever pour se faire rembourser. Et puis, pour arranger la Cadillac, je fournirai ce qui manque.

— Ça n'a pas de sens. Il n'y a pas de raison que tu paies de ta poche pour ma voiture.

— Si, j'insiste. Je le fais pour la beauté de l'art! Je n'ai jamais vu une voiture aussi remarquable. Comprenez-vous la valeur de ce que vous possédez? Une véritable Cadillac décapotable 1941! Un moteur V8 de luxe! Des huit cylindres, on n'en voit plus de nos jours. Elle est increvable, cette auto! Elle n'est pas enrobée de papier mâché mais de tôle superrésistante. Avec ses ailerons arrière, elle innovait pour l'époque. Et son nez allongé et arrondi au bout ressemble à… à un pif de chien de race! Je ne peux pas abandonner un bijou pareil à son triste sort. Non, c'est décidé. Je veux la réparer! Ne serait-ce que pour me faire plaisir. Ensuite, vous déciderez de la garder comme souvenir ou de la vendre pour vous enrichir. Parce qu'elle vaudra cher, croyez-moi !

Elle me considéra un instant, silencieuse. Lentement, ses yeux se mirent à pétiller de joie, un fin sourire effleura ses lèvres. Elle me pinça la joue.

— C'est ainsi que j'aurais aimé mon fils. Ou mon petit-fils. Dommage que la vie en ait décidé autrement. D'accord, je te laisse t'amuser avec mon antiquité. Néanmoins, je te promets que, d'une manière ou d'une autre, je te rembourserai. Je ne suis pas une ingrate.

— Que vous acceptiez de me laisser sauver cette merveille me suffit amplement ! Je ne demande rien d'autre. Bon, si je me mettais au boulot, je pourrais espérer terminer avant cet été.

C'est ainsi que j'entrepris mon bénévolat. Étrangement, je ne m'inquiétais plus pour les finances de madame Visvikis. J'aurais peut-être dû me poser davantage de questions !

C

La routine se poursuivit. Je travaillais et ma patronne me surveillait. Je n'aime pas ce terme, pourtant c'est le seul qui convienne à son attitude. Assise dans sa berceuse (il y avait un certain temps qu'elle avait remplacé sa chaise droite et dure par un meuble plus rembourré), elle bavardait, me posait des questions sur les réparations, sur ma vie et sur mes croyances. Remarquez, ça me plaisait de causer avec elle. Comme je vous l'ai déjà dit, je n'ai pas de grands-parents, et, à sa manière, cette vieille dame comblait ce manque. Quant à elle, j'avais l'impression qu'elle appréciait ma présence. À vivre seule, cette pauvre femme devait s'ennuyer.

Pourtant, un dimanche après-midi, elle dut rendre visite à une connaissance. Elle me déballa une longue liste de recommandations avant de partir finalement. Je sentais qu'elle craignait un peu de m'abandonner le garage et sa précieuse voiture. Après tout, je n'étais qu'un étranger. Je la rassurai de mon mieux, promettant même que j'attendrais son retour avant de quitter les lieux.

Lorsque je fus seul, je continuai ma tâche pendant un certain temps. Le capot grand ouvert, j'admirais une œuvre d'art : le moteur de cette Cadillac. Un bijou rare ! Une merveille datant de soixante-dix ans ! J'en examinais toutes les composantes, du câble de bougies aux pistons, en passant par le carter ou le démarreur. Je songeai tout à coup au confort de cette voiture. J'en connaissais la mécanique, mais qu'en était-il du luxe des banquettes et du tableau de bord ? Je n'avais jamais vraiment eu la possibilité de l'essayer. Devant madame Visvikis, je ne m'occupais que de l'extérieur ; pourtant, l'intérieur aussi m'attirait.

J'essuyai minutieusement mes mains pour ne laisser nulle trace de graisse sur les sièges ou le volant. Je m'installai d'abord à la place du passager avant. Le cuir n'avait rien perdu de sa souplesse, preuve de son excellente qualité. Curieux, j'ouvris la boîte à gants. Le mécanisme fonctionnait encore parfaitement. Le rétroviseur central me parut ridiculement minuscule. Je me glissai à la place du conducteur. Les instruments de bord étaient réduits au minimum. Je ne vis que trois indicateurs, ceux de la vitesse, du niveau de carburant et du compteur. Ce tableau de bord semblait archaïque comparé à ceux d'aujourd'hui avec leur look d'ordinateur à la *Star Trek*. Les manettes des clignotants et des essuie-glaces s'apparentaient davantage aux boutons des premières radios qu'aux petits manches auxquels nous sommes habitués maintenant.

Pour conduire, ma position n'était pas idéale. Trop loin du volant et des pédales. En me penchant, je cherchai du bout des doigts à actionner le mécanisme permettant d'avancer le siège. Comme cela se produit chaque fois que l'on essaie une nouvelle automobile, je farfouillai longtemps pour trouver la petite manette et je n'y parvins pas. Je descendis de voiture et, à genoux à côté d'elle, la portière ouverte, j'examinai le dessous du siège. Il devait pourtant bien exister un système pour déplacer la banquette.

Ce que je découvris se situait à mille années-lumière de mes expectatives. De manette, je n'en vis aucune. Mais, émergeant de la rembourrure du siège avant, un mince cordon de cuir pendait dans l'attente que quelqu'un tire dessus. Ce que je fis en usant de délicatesse. Au bout du cordon, un vieux sac de cuir noir apparut. De fines gouttelettes de sueur perlèrent à la racine de mes cheveux. Avais-je le droit de poursuivre? Ou bien ne devais-je pas tout remettre en place immédiatement?

Vous l'avez deviné, malgré mes remords, je poursuivis! Assis directement sur le sol, je soupesai d'abord le sac, je dénouai le lacet, j'écartai le cuir, je jetai un coup d'œil à l'intérieur. Et je vous fais languir en ne vous disant pas tout de go ce que le sac contenait. D'accord, j'ai pitié de vous. Mais sachez bien que cette trouvaille me laissa pantois pendant plusieurs minutes. J'éparpillai le contenu sur le plancher, entre mes jambes, et je me mis à compter. Il y avait là-dedans plus de trois cent mille dollars. Américains!

Il ne s'agissait pas d'argent de Monopoly, croyez-moi! Que des billets verts! En grosses coupures! Des tas de questions m'assaillirent. D'où venait tout cet argent? Pourquoi le cacher? Madame Visvikis savait-elle qu'elle possédait tout cela? Pourquoi des billets américains plutôt que canadiens? Qui les avait placés là? Est-ce que Doudouche en connaissait l'existence? Et puis quoi encore? Mon cerveau ne parvenait plus à réfléchir. Je me sentais dans un état de surexcitation tel que plus aucune pensée rationnelle ne se formait dans ma tête.

Pour me convaincre que je ne rêvais pas, je tâtai un billet, je le passai sous mon nez pour le sentir (l'argent a bel et bien une odeur, celle de l'encre ou de la poussière), je le plaçai sous un rayon de lumière pour mieux examiner je ne sais quoi. Et tout à coup, je remarquai un petit détail. La date: 1946! Je vérifiai les autres billets, ils dataient tous d'avant 1955. Je me demandai alors en quelle année, exactement, était décédé le mari de madame Visvikis. Et puis, soudainement, je trouvai bizarre qu'elle ne me parle pas plus souvent de son défunt époux. Habituellement, les vieilles gens prennent plaisir à raconter leurs souvenirs de jeunesse, à se remémorer leurs amours et l'être cher disparu trop tôt. Mais pas madame Visvikis! Elle demeurait muette sur tous ces points. Pourquoi? Qui était donc le père de Doudouche?

8

Je passai la semaine suivante en profonde méditation sur le sens et l'origine de ma découverte. Un fait me troublait passablement. Madame Visvikis avait accepté que je travaille pour elle sans rémunération. Serait-elle pingre? J'en doutais. Elle fabriquait de délicieux gâteaux et des tartelettes qu'elle distribuait généreusement aux enfants de sa rue et aux organismes de charité. Alors, pourquoi prétendre qu'elle n'avait pas le sou? Ignorait-elle la présence de cet argent? L'idée m'effleura puis je la rejetai catégoriquement en me rappelant qu'un jour je l'avais vue compter de l'argent américain. Je l'attendais à la sortie de la banque avant d'aller payer le quincaillier. Elle n'avait pas retiré d'argent de son compte, mais avait changé des billets américains pour des canadiens. Cet argent provenait probablement de sa cachette.

Je comprenais mieux pourquoi elle désirait tant installer un système d'alarme à son garage. Pour le transformer en coffre-fort! Donc, elle possédait une grosse somme d'argent et était effrayée à l'idée qu'on la lui vole. Vous me direz que les banques existent justement pour éviter ce genre de tracas. Je me posais la même question que vous : qu'est-ce qui l'empêchait d'avoir recours aux services bancaires ? Était-elle du genre à préférer les bas de laine aux certificats d'épargne ? Dans ce dernier cas, sa fille aurait su la vérité sur le pécule de sa mère. La vieille dame désirait-elle que personne ne fût au courant, pas même Vivi chérie ?

J'en revenais toujours au mystère du pays d'origine de cet argent. Je sais bien que les États-Unis sont à deux pas, j'y vais tous les étés ; il n'empêche que je trouvais étrange que son trésor fût en espèces américaines, vieilles de plus d'un demi-siècle. Pour l'époque, cela représentait une somme énorme. Avec tout cet argent, madame Visvikis aurait pu acheter une maison beaucoup plus luxueuse que la sienne. Mais elle n'en fit rien, pourquoi ?

Je pris conscience, durant ces quelques jours de réflexion intense, que je parlais trop de moi lorsque je me trouvais avec elle. Dorénavant, je devais apprendre à l'écouter, à provoquer ses confidences. Qui était-elle vraiment ? Je l'ignorais totalement. Aussi, le samedi suivant, je me présentai chez elle, prêt à la bombarder de questions.

— Vous paraissez en forme, ce matin ? Êtes-vous satisfaite du travail ?

— Oui et encore oui. J'ai expliqué à Vivi que tu faisais cela pour t'amuser parce que tu adores les voitures anciennes et qu'ainsi je ne débourserais pas un sou de plus que ce que j'ai déjà dépensé. Elle m'a répondu que, si tu voulais la Cadillac, je pouvais te la vendre au rabais. Pour des clopinettes, quoi! Tu vois à quel point elle n'y tient pas à cette voiture. Tant pis pour elle! Moi, je la garde.

— Elle n'a sûrement pas compris toute la valeur qui s'y rattache. Vous faites bien de la protéger. C'est un trésor ambulant.

— Oh oui! Un véritable trésor…

Elle se tut. Je respectai son silence un instant, puis je remarquai, l'air innocent:

— Ce qui m'aiderait à la réparer, ce seraient des photos d'époque. Avec le modèle intact devant soi, c'est plus facile. En avez-vous au moins une?

— Une photographie de la Cadillac?… Oui, probablement. Je vais voir, attends-moi. Où ai-je bien pu la mettre? Pas dans l'album de Vivi. Peut-être dans la boîte avec…

Elle s'éloigna du garage, réfléchissant à voix haute. Je me réjouis que mon truc fonctionne aussi facilement. En examinant ses photos, je courais la chance de découvrir des indices intéressants et madame Visvikis, en les regardant, en viendrait peut-être à me faire des confidences. Je restai un bon bout de temps seul avec la Cadillac. J'imaginais ma patronne cherchant dans ses vieilleries, retournant à l'envers des boîtes de chocolats mangés depuis longtemps et remplacés par des souvenirs divers.

Lorsque j'entendis des pas derrière moi, je me retournai dans l'espoir d'une victoire. Je restai figé sur place en reconnaissant Caroline.

— Salut! Est-ce que je te dérange?

Peut-être un peu, mais je n'allais pas le lui reprocher. Je n'étais pas ressorti avec elle depuis notre visite du musée, la semaine précédente. Quand j'étais libre, elle ne l'était pas et vice-versa. On se parlait à l'école, mais notre relation ne se limitait encore qu'à cela.

— Bonjour ! Tu as largué tes jumeaux ?

— Maman est allée magasiner avec eux. Et toi, où est ton ange gardien ? Elle ne veille pas sur toi, aujourd'hui ?

Observatrice, la Caroline ! Elle avait remarqué que ma patronne ne me quittait habituellement pas d'un poil.

— Elle n'est pas loin, méfie-toi ! Si elle t'aperçoit, elle va te poursuivre avec ses gâteaux au miel !

— Qui sont délicieux ! Je ne me sauverai pas, au contraire. Ce qui me fait penser… Est-ce que ça te tenterait de manger du maïs soufflé cuit dans du beurre véritable ?

— Euh !… Tout de suite ?

— Non, ce soir. Je vais louer un film, je ne sais pas encore lequel. Je t'invite à le regarder avec moi.

— Est-ce que je devrai tenir les jumeaux sur mes genoux pendant la projection ?

— Seulement si tu insistes. Alors, c'est d'accord pour 20 h ?

J'acceptai. Sur ces entrefaites, madame Visvikis revint en brandissant une photo. Une seule. Moi qui attendais un album complet ! Tout excitée, elle s'écria :

— Regardez-moi cette merveille ! N'est-elle pas magnifique ?

Elle nous mit sous le nez une ancienne photographie représentant clairement la Cadillac lors de ses beaux jours.

— Beau bonhomme! fit remarquer Caroline en montrant du doigt un homme appuyé à la portière.

— C'était mon mari. Je lui trouvais tellement de charme. Il avait des yeux enjôleurs!

Tandis qu'elles se penchaient toutes deux pour admirer le «beau bonhomme», j'attendais patiemment mon tour. La photographie finirait bien par passer entre mes mains et j'aurais enfin l'occasion de porter un jugement sur l'homme en question. Oubliant totalement ma présence, elles babillaient sur les qualités des mâles en général et sur celles de monsieur Visvikis en particulier. Je m'étonnai de constater à quel point, entre femmes, elles en disent des choses sur notre compte. Je m'en réjouis aussi. Sans le savoir, Caroline me facilitait la tâche. Je n'avais qu'à me contenter d'écouter pour obtenir des renseignements.

J'appris ainsi qu'il s'appelait Nicky, diminutif de Nikitos. Grec d'origine, il avait immigré aux États-Unis lors de la Seconde Guerre mondiale. Il paraîtrait que les Allemands avaient tenté d'envahir la Grèce, ce qui aurait poussé Nicky à quitter sa terre natale. En arrivant en Amérique, il s'était lancé dans les affaires. Lesquelles? De l'import-export! L'importation et l'exportation d'à peu près n'importe quoi! Difficile de se montrer plus vague... L'emploi du temps de monsieur Visvikis me semblait de plus en plus louche. Dans quel

domaine œuvrait-il ? Mystère et boule de gomme !
Sa femme évita de répondre clairement à ce sujet.
Par contre, elle nous raconta, en nous inondant de
détails superflus, leur première rencontre et ce qui
s'ensuivit.

— Il avait le tour avec les femmes, mon Nicky !
Je ne vivais aux États-Unis que depuis deux ou trois
semaines, je parlais déjà très bien le français (ma
grand-mère était une Française), mais pas du tout
l'anglais. On a donné une réception chez des amis
de mes parents, pour fêter notre arrivée. Je me
sentais bien ignorante de ne pas pouvoir converser
en anglais avec les gens. Vous allez trouver cela
idiot, mais j'étais ennuyée d'utiliser ma langue
maternelle avec tous ces gens qui habitaient l'Amérique depuis si longtemps. La crainte du ridicule,
de passer pour démodée. Alors, toute la soirée, je
me suis retranchée dans un coin du salon en priant
pour que personne ne se rende compte de ma
présence. Je me taisais et j'observais. Tous ces
immigrants avaient adopté des allures à l'américaine. Je les épiais pour mieux les imiter plus tard.
Quand Nicky est entré dans le salon, presque tous
les regards se sont tournés vers lui. Il dégageait tant
de charme qu'il attirait les gens. On le saluait, on
allait vers lui, on lui donnait de l'importance, quoi !
J'ai été impressionnée. Ce soir-là, il ne m'a pas
adressé la parole. Je croyais même qu'il ne m'avait
pas vue. Le lendemain, je l'ai croisé dans la rue. Il
s'est arrêté pour me parler. En grec, sur un trottoir
de Washington ! J'aurais voulu fondre de honte.
J'imaginais tous les Américains à leur fenêtre,

pointant un doigt accusateur vers les petits Grecs qui osaient causer dans leur langue d'origine au vu et au su de tous ! Nicky, lui, semblait très à l'aise. Je ne me rappelle plus très bien ce qu'il m'a dit, mais le samedi suivant, nous allions ensemble au cinéma. Il traduisait pour moi au fur et à mesure. C'est ainsi qu'on s'est connus. Cela se passait en 1941, il y a longtemps…

— Je trouve ça romantique ! s'exclama Caroline. Quitter tous les deux la Grèce pour se rencontrer en Amérique. C'est ensuite que vous êtes venus vous installer au Canada ?

— Nous sommes arrivés à Montréal long-temps après la guerre, dans les années 1950. Viviane n'était pas encore au monde. Cela se passait après ma troisième fausse couche ; tous des garçons que j'ai perdus.

N'avez-vous jamais remarqué à quel point la mémoire des mères est bizarre ? Tout se déroule avant ou après des accouchements ou des anniversaires d'enfants ! Du genre : « On a acheté la maison le jour où le petit a fait ses premiers pas. C'était un mardi, en octobre… » Madame Visvikis ne fait pas exception à la règle.

— Lorsque nous avons emménagé dans cette maison, j'étais enceinte de trois mois. C'était la première fois que je gardais un bébé aussi longtemps. Il fallait bien fêter l'événement. C'est la maison de Vivi chérie, ma seule enfant !

Caroline me lança un regard malicieux. Je compris qu'elle ne discernait rien de « chérie » en

Double-V. Elle aurait bien éclaté de rire en entendant le surnom de Doudouche.

Pour la première fois, depuis de longues minutes, j'intervins dans leur tête-à-tête.

— Pourquoi avez-vous quitté Washington pour Montréal? La capitale américaine est une belle ville. Pour les affaires, cet endroit devait être plus rentable.

— Oh… Je ne sais trop. Nicky pensait au contraire qu'il récolterait davantage de bénéfices en installant son commerce ici. Et puis, on parle le français au Québec. J'ai encore de la difficulté avec mon anglais. On nous avait aussi recommandé un excellent médecin pour mon problème de fausses couches. On y a bien réfléchi avant de se décider. On croyait vraiment que ce serait mieux ainsi…

Son ton contredisait ses paroles. La vie s'était-elle réellement avérée meilleure au Québec pour elle et lui? Après tout, c'est ici que son mari avait trouvé la mort, de façon accidentelle, toutefois. Pensait-elle que s'ils étaient restés là-bas, tout cela ne serait pas arrivé? Elle lâcha un faible soupir, puis se secoua et nous sourit.

— Ah! Les souvenirs! Lorsqu'ils nous sautent dessus, on perd toute notion du temps. Tiens, Célestin, prends cette photo. Elle te sera peut-être utile.

Le carton en main, je tournai autour de la voiture, donnant l'impression de comparer le modèle parfait avec la réalité d'aujourd'hui. En fait, je ne pouvais détacher les yeux de monsieur

Visvikis. Je le classerais dans le type de beauté sauvage. Le teint basané, la moustache en broussaille, le cheveu noir, raide et assez long, ma foi, pour l'époque, il dégageait une impression de force têtue. Il donnait l'image d'un homme déterminé, prêt à tout pour parvenir à ses fins. Je reconnus, dans son front, l'autorité et la fermeté de la directrice adjointe. Elle avait de qui tenir, la Doudouche!

J'allais me remettre au travail lorsqu'un détail de la photographie me sauta aux yeux. Sur la banquette arrière, j'apercevais à peine le coin de quelques caisses. Je n'aurais pu dire si elles étaient en bois ou en carton; si elles portaient une inscription, je ne pouvais la voir.

— Votre mari se servait-il souvent de la Cadillac pour transporter la marchandise qu'il importait et exportait?

— Pas du tout! Pourquoi demandes-tu ça?

La réponse avait fusé vive et sur un ton alarmé. Avais-je touché un point sensible? J'en déduisis que ma patronne ne me disait pas l'entière vérité. Mais qu'est-ce qu'il achetait et vendait, ce monsieur Visvikis? Cet homme m'intriguait de plus en plus. Je tentai de calmer les craintes de la vieille dame en lui expliquant d'un air détaché:

— C'est à cause de la suspension. La voiture a beau être solide, ce n'est pas un camion. À transporter de trop lourdes charges, on finit par abîmer les amortisseurs et les freins s'usent plus rapidement. J'espère qu'il n'a rien charrié de trop pesant.

— Non, non. C'était… très léger. L'accident a fait beaucoup plus de dommages que le travail de mon mari. Alors, crois-tu pouvoir en venir à bout et la remettre à neuf?

— Sans problème!

Je glissai la photo dans ma poche et je repris mes outils. Madame Visvikis s'installa de nouveau dans sa berceuse et Caroline nous quitta. Silencieux, je travaillais en jonglant à ce que j'avais appris. C'était encore bien peu pour résoudre mon énigme. Une personne œuvrant dans l'import-export peut-elle gagner autant que ce que monsieur Visvikis avait caché dans sa voiture? Je ne doutais pas un seul instant que l'argent venait de lui. Mais si cet argent avait été obtenu légalement, pourquoi le garder enfoui sous un siège de voiture? Plus j'y réfléchissais, plus je trouvais cette histoire louche.

Je songeai soudain que, sous le couvert de l'import-export, il peut s'avérer aisé de se livrer à de la contrebande. Mais de quel type? D'alcool? Si dans les années 1930, ce commerce illégal permettait de s'enrichir, lors des décennies suivantes, ça ne rapportait plus autant. De la drogue, alors? Ce n'était pas encore à la mode. De plus, j'éprouvais de la difficulté à imaginer madame Visvikis ou son mari, un joint coincé entre les doigts, offrant une bouffée à un adolescent: «Goûtes-y, mon petit gars, c'est de la bonne qualité!»

Cette histoire me tarabustait à un point tel que je ne me concentrais plus vraiment sur mon travail. Il advint ce qui devait arriver quand on ne s'applique plus: je me blessai. La lame du tournevis glissa et me coupa à la main. Il s'agissait d'une éraflure sans gravité mais qui inquiéta la vieille dame. Comme j'ai le sang très clair, il coule toujours abondamment quand je me coupe.

— Ne vous en faites pas, j'ai l'habitude de saigner comme un cochon à l'abattoir. Mais la plupart du temps, ça s'arrête avant que je tombe raide mort.

Elle n'a pas ri du tout. Elle paniquait presque, malgré mon sourire bon enfant. Elle m'empoigna par l'épaule et me traîna de force dans sa cuisine où je reçus l'ordre de m'asseoir et de l'attendre sans bouger. Elle disparut dans la salle de bains à la recherche de pansements. Je l'entendais bougonner parce qu'elle ne trouvait pas sa trousse de premiers soins. Je succombai alors au péché de curiosité. Sur la table, devant moi, à côté d'une boîte à biscuits métallique vide, s'étalait un lot de photographies. Je priai pour que madame Visvikis ne revienne pas trop vite et je fouillai dans ses souvenirs.

Je découvris, ébahi, une madame Visvikis fort différente de celle que je connaissais. Enlevez une soixantaine d'années à votre grand-mère et vous verrez ce que je veux dire. Plus aucune ride, le teint clair, les yeux vifs, le sourire éclatant, le tour de taille et l'allure d'une fille de vingt ans! Elle m'apparut plutôt jolie et passablement délurée. Dans son regard, on sentait passer le goût de vivre et d'en profiter pleinement. C'est ainsi que j'aime les grands-mères!

Sur ces photos en noir et blanc, elle apparaissait dans des décors méditerranéens, quelque part en

Grèce, ou à côté de monuments américains, comme la statue de la Liberté, seule ou avec son mari. J'examinai rapidement les photographies, les déplaçant du bout du doigt, et je finis par tomber sur l'une d'entre elles qui me jeta dans la confusion la plus totale. J'y voyais monsieur Visvikis entouré de plusieurs hommes en uniforme. Des uniformes sombres, avec les pantalons bouffants typiques des cavaliers, enfoncés jusqu'aux genoux dans de hautes bottes de cuir. Sur leur poitrine luisaient des médailles. Sur leur tête trônait une casquette d'officier. Je n'eus aucune peine à reconnaître l'uniforme des nazis!

Avant que madame Visvikis sorte de la salle de bains, l'étonnante photographie était de nouveau enfouie sous les autres. Tandis que la vieille dame me soignait, je ne parvenais pas à oublier cette image. J'étais hanté par le sourire de monsieur Visvikis et des hommes qui l'accompagnaient. La plus grande harmonie semblait régner entre eux. Comment cela se pouvait-il puisque Nicky, selon les affirmations de sa veuve, avait quitté son pays natal par crainte de l'armée allemande?

Je lorgnai ma patronne. Elle qui soutenait ne croire ni à Dieu ni au paradis, aurait-elle, à l'instar de son époux, pactisé avec le diable en s'acoquinant avec les nazis? Vrai, en continuant de travailler pour elle, je frayais avec une vieille dame pas très orthodoxe!

Vous êtes-vous déjà promené en forêt ? On y accède d'abord par un large chemin de terre battue qui avance presque en droite ligne entre les feuillus et les conifères. Puis, imperceptiblement, l'allée rétrécit. On ne s'en rend compte que lorsque les branches des arbres se touchent au-dessus du sentier. On n'aperçoit plus le ciel que par des trouées dans le feuillage. Malgré le soleil, il fait plus sombre et l'air se rafraîchit. Puis, le sentier se transforme en une piste étroite. Il faut rester vigilant pour ne pas s'égarer. Et sans qu'on en prenne conscience, la piste a disparu. On se retrouve entouré d'arbres sans savoir de quel côté se diriger. La peur nous glace alors le sang.

Ma relation avec madame Visvikis s'apparentait dangereusement à ce genre de balade en forêt. Au début, tout me paraissait si simple. Je travaillais pour une brave femme, gentille, charitable, vivant honnêtement. Puis, je découvrais avec une certaine inquiétude et beaucoup d'étonnement que, derrière cette image, se cachait… je ne savais trop quoi.

C'est à cela que je réfléchissais en sortant de chez Caroline à minuit moins cinq, ce samedi-là. La soirée aurait pu être des plus agréables puisque les jumeaux se couchent tôt. Malheureusement, Caroline a une sœur qui, sous prétexte d'être « presque » en secondaire 1, n'a pas décollé du sous-sol. Elle aussi voulait voir le film… Vive les grosses familles ! Je bénis le ciel d'être fils unique. La prochaine fois, on ira au cinéma. Malgré toute l'agitation causée par l'horrible sœurette (ou plutôt grâce à elle), j'avais oublié madame Visvikis pendant quelques heures. Elle se rappela à mon souvenir quand je mis les pieds dehors. Comment faire autrement? Elle habite en face de chez Caroline!

Après un dernier baiser et un ultime «bonne nuit» à ma blonde (je peux maintenant me permettre de l'appeler ainsi), j'allais m'éloigner sur ma moto. Je remarquai, en passant devant la demeure de la vieille dame, la voiture de Doudouche stationnée dans l'entrée. Il me fallut trois coins de rue avant de me décider. Vous ai-je déjà mentionné que je souffre de curiosité aiguë? En voici une nouvelle preuve. Je revins sur la rue des Ducats. Plusieurs mètres avant d'arriver chez madame Visvikis, j'éteignis le moteur. Silencieux, je contournai la maison. Comme je l'espérais, les deux femmes se trouvaient dans la cuisine. Elles discutaient ferme. Suffisamment fort en tout cas pour que je puisse les entendre en m'accroupissant près de la porte.

— Tu sais très bien ce que j'en pense, maman. Chaque fois, tu reviens avec les mêmes arguments.

— Parce qu'ils valent mieux que tes prétextes futiles. Je n'arrêterai que lorsque tu admettras que j'ai raison. Pourquoi lèves-tu le nez sur la Cadillac? Quelle différence entre elle et la maison?

— Cette maison importe beaucoup pour moi. C'est entre ces murs que tu m'as élevée, que je me suis amusée, que j'ai passé des heures à lire et à étudier… Tandis que la voiture n'a qu'un sens sinistre à mes yeux. Quand je songe que mon père y est mort, je ne comprends pas que tu la gardes aussi précieusement. La Cadillac me fait horreur; pas à toi?

— Pauvre Doudouche! Je ne te croyais pas aussi sensible. Les accidents sont causés par les conducteurs, non par les véhicules. J'en veux au chauffard qui a poussé mon Nicky dans le fossé. Pour moi, la Cadillac n'est qu'une victime, comme ton père. Je maudis encore la charogne qui a provoqué l'accident!

— On ne provoque pas les accidents, on les subit. D'un côté comme de l'autre.

— Oh que non! Il y a des criminels qui se promènent en liberté, ma fille.

J'aurais donné cher pour voir le visage de ma patronne à ce moment précis. Sa phrase sonnait aussi durement qu'une accusation. À croire qu'elle connaissait le coupable! Cette idée s'ancra solidement en moi. Si Nicky œuvrait dans le monde interlope, sa mort résultait peut-être d'un règlement de comptes. Différents scénarios à la Indiana Jones m'apparurent. Un camion lui bloque le chemin; pour l'éviter, il fait une embardée fatale. Ou bien, Nikitos est poursuivi par un camion qui lui fait perdre le contrôle de son véhicule. Ou encore, il tombe dans un guet-apens; on l'élimine et on jette ensuite la voiture dans un fossé pour faire croire à un accident. Et puis, quoi encore? Il y a un éléphant rose à pois bleus dans mon sous-sol!

Je revins sur terre et à la réalité pour constater que Vivi s'apprêtait à partir. J'eus à peine le temps de me cacher derrière le garage. Elle mit le contact, les phares s'allumèrent et elle quitta les lieux. Sa mère resta sur le perron de la cuisine un petit moment, guettant les bruits des alentours. Lorsqu'elle fut assurée que tout était calme et silencieux, elle s'approcha du garage. Elle zappa deux fois et la porte s'ouvrit sans déclencher l'alarme. Elle apprenait vite, cette vieille dame. Elle entra dans le garage en marmonnant. À qui s'adressait-elle, à son défunt époux, à la Cadillac ou à elle-même? Je ne saurais le dire.

— Un jour, elle comprendra. Il faudra bien qu'elle entende raison. Sinon, tout ce travail aura été accompli en vain. Malheureusement, elle est trop rationnelle, trop logique. Elle a besoin de tout savoir. Si elle n'est pas au courant de chaque détail, elle refuse tout en bloc. Mais je ne peux pas tout lui raconter. La vérité la démolirait! Il y a un tel gouffre entre ses rêves et la réalité… Voilà ce que c'est quand on idéalise ses parents. Pour un peu, elle béatifierait Nicky.

Pendant son monologue, j'étais sorti de ma cachette. Je me tenais alors, immobile, dans l'entrée, vaguement éclairé par la lumière intérieure du garage qui se répandait jusqu'à moi. J'aurais pu partir à la sauvette, en prenant soin qu'elle ne me voie pas. Mais, poussé autant par le désir de connaître la vérité que par le besoin de la réconforter, je ne cherchai pas à m'enfuir. Elle ne manifesta aucune surprise à ma vue. Au contraire, elle leva la tête tout naturellement vers moi et continua de parler, comme si elle s'adressait déjà à moi.

— Peux-tu m'expliquer ce besoin qu'ont les enfants d'exiger la perfection de leurs parents?

— N'est-ce pas un juste retour des choses? On nous demande d'agir en enfants sages. On se fabrique des parents modèles. Ne sommes-nous pas le reflet de notre éducation?

— Je suppose que tu as raison. J'ai élevé ma fille plus strictement que nécessaire pour éviter qu'elle…

Un silence subit flotta entre nous. J'en profitai pour m'approcher à pas lents. Je terminai sa phrase pour elle.

— … qu'elle ne tombe dans les mêmes erreurs que son père?

— Il n'a commis aucune erreur! explosa-t-elle si vivement que je sursautai. J'ai toujours approuvé sa conduite. Seulement… essayez de faire comprendre cela à une fillette! Et puis, qu'est-ce que tu en sais, toi, de ce qui est arrivé?

Pas grand-chose, en vérité! Mon esprit divaguait en suppositions plus ou moins farfelues, ne parvenant à s'appuyer sur aucune certitude.

— Et que fais-tu dehors à cette heure tardive? Ah oui, c'est vrai, tu es allé veiller chez Caroline. Alors, tout se déroule comme prévu entre vous deux?

— C'est le bonheur total. Je vous remercie pour vos précieux conseils sur l'art de courtiser les jeunes filles. Mais j'apprécierais que vous ne détourniez pas le sujet de la conversation.

— Je le détournerai bien si je le veux, petit. Et je ne parlerai que si j'en éprouve le besoin. Tu sauras que tes airs de pasteur ne m'impressionnent pas. J'en ai vu des plus coriaces que toi.

Que répondre à cela, sinon éclater de rire, ce que je fis. Elle perdit aussitôt son agressivité et me sourit avec malice.

— Curieux bonhomme! Oui, très, très curieux… Je dirais même indiscret! La prochaine fois, tâche de ne pas laisser des traces de sang frais sur mes photos.

Elle me fixait droit dans les yeux. J'expliquai donc mon comportement avec la plus grande franchise.

— J'avoue. Cet après-midi, j'ai jeté un coup d'œil sur vos photographies. Je n'ai aucune excuse. Je sais bien que je n'aurais pas dû. J'ai agi intentionnellement. Je voulais en savoir davantage sur votre mari. Il m'intrigue. Un homme qui a décidé de se payer une telle voiture devait être quelqu'un hors du commun. Et pour que votre amour pour lui soit demeuré intact aussi long-temps après sa mort, il fallait que votre relation soit particulière. Je ressens un vif désir de le connaître.

Elle réfléchit puis se décida brusquement. Elle se laissa choir dans sa berceuse.

— Alors, tu veux absolument savoir? Parfait. Et comme vous dites entre jeunes, tiens bien ta tuque, je te raconte l'incroyable histoire de Nicky.

Je m'assis directement sur le plancher de ciment, le dos appuyé au mur. J'avais l'impression de retomber en enfance, de ressembler à un bout de chou de maternelle que l'on va divertir avec un conte merveilleux.

— Ah, Nicky! commença madame Visvikis, les yeux perdus dans son passé. Il était âgé de vingt-six ans quand j'ai fait sa connaissance. Il possédait néanmoins l'expérience d'un homme de cinquante ans. Il avait tout vu, tout connu, tout essayé! Moi, je n'étais qu'une novice dans la vie. Il aurait pu m'embobiner en deux temps trois mouvements et je n'y aurais vu que du feu. Il a préféré jouer franc jeu avec moi. Cette terrible marque d'amour qu'il m'a donnée, jamais il ne l'a regrettée. Très vite, lorsque notre relation est devenue plus sérieuse, il m'a tout dit : qui il était réellement, son travail, ses ambitions, ses intentions. J'étais impressionnée, autant par ce qu'il me divulguait que par la confiance qu'il me manifestait. Il déposait sa vie entre mes mains. J'aurais pu le trahir et le dénoncer, pourtant il m'a fait confiance.

Elle se tut un instant pour mettre de l'ordre dans ses souvenirs. Son histoire d'amour me rappelait celle de mes parents. Une idylle qui frise l'adoration mutuelle! Beaucoup de respect, une dose énorme de passion et un bon fond de compréhension : judicieux mélange!

— Comment te dire? Comment te faire comprendre sans que tu te méprennes sur mon Nicky?

— Avec ce que mes propres parents ont vécu dans leur jeunesse, je peux accepter n'importe quoi sans mal juger votre mari. J'ai l'esprit ouvert à tout.

Elle me scruta avec attention avant de rendre son verdict.

— Je crois en effet que tu es la seule personne que je connaisse à qui je peux me confier. Tu as suffisamment vécu, malgré tes dix-sept ans, pour comprendre et accueillir favorablement ma confession.

Cette phrase fit chavirer mon âme. J'en avais les mains moites et les tempes battantes. Moi, recevoir la confession de quelqu'un! Pour la première fois de ma vie, j'allais accomplir un acte de pasteur. Je me sentais comme saint Jean le Baptiste. Une brebis égarée venait à moi pour s'épancher et être absoute de ses fautes. J'étais tellement énervé que je faillis manquer le début de son aveu.

— Comme tu as dû le remarquer sur la photo où tu as laissé ton empreinte ensanglantée…

— … (Silence gêné de ma part.)

— … mon mari entretenait certains rapports avec des officiers allemands. La guerre le préoccupait peu, enfin, tant que la Grèce ne fut pas brutalement touchée. C'est en 1941, à l'automne, que les Allemands ont réussi à envahir mon pays. Une véritable horreur! L'armée n'est qu'une machine à tuer, à piller et à détruire. Tout le territoire a été occupé. Ma famille habitait sur une petite île. Nous sommes parvenus à nous enfuir en bateau. Un long périple dont je préfère oublier les difficultés. Pour en revenir à Nicky, son travail l'avait amené à faire la connaissance d'officiers allemands avant que les choses s'enveniment, en 1936 ou en 1937. C'est un

120

peu comme si tu faisais des affaires avec des Américains depuis plusieurs années et que, demain, on déclarait la guerre aux États-Unis. Deviendraient-ils tes ennemis pour autant? Voilà le dilemme que vivait mon mari. Pourtant, il n'approuvait pas la guerre ni les abus qui en découlaient.

— Je comprends. La folie de la guerre sépare les hommes de bonne volonté!

Elle hésita avant d'abonder dans mon sens.

— Si tu veux... Mon mari continua tout de même de traiter avec les Allemands qu'il connaissait. Il s'agissait de son gagne-pain, après tout! Et pour les Allemands, Nicky possédait un avantage énorme sur ses concurrents: il s'était fait des contacts en Amérique. N'oublie jamais le pouvoir des États-Unis dans le monde des affaires. C'est là qu'on tire les ficelles du réel pouvoir, celui de l'argent!

Je trouvais gentil de sa part de m'en informer, mais, en tant que rejeton adoptif d'un Américain, je suis, en quelque sorte, tombé dans la potion magique dès ma naissance. Au fond de moi dort l'âme mercantile d'un véritable fils de l'oncle Sam (si je peux me permettre cet accroc de descendance). Un faible malaise prit toutefois naissance au fond de mon cerveau et je me mis à jongler avec les différentes composantes de l'histoire: Allemands versus Américains, entourés du pouvoir et de l'argent dans le contexte violent de la guerre égalent... espionnage! J'essayai de repousser ce raisonnement, de le faire taire et de reporter mon attention sur la vieille dame.

— Il te faut savoir que depuis des générations, de père en fils, la famille Visvikis travaillait dans ce domaine. Lui, il n'a fait que reprendre le collier, suivre les traces de ses prédécesseurs. Le goût du commerce coulait dans ses veines. Acheter, vendre, découvrir la bonne aubaine, négocier le meilleur prix, tout cela l'excitait et donnait un sens à sa vie, comme il le disait lui-même. Il avait acquis une expertise et une réputation que plusieurs lui enviaient. Il n'aurait pas su dénicher un autre emploi plus valorisant pour lui. Sans cette horrible guerre, tout aurait été parfait. Dès que les hostilités ont été engagées, il a dû choisir. Continuer dans la même veine ou disparaître de la carte. Mais comment disparaître quand les Allemands se glissent partout? Il n'avait aucune place pour se cacher. Les nazis l'ont dépisté jusqu'en Amérique. Alors…

Elle soupira et laissa son explication en suspens. Je n'avais pas besoin d'un dessin pour imaginer la suite. J'admettais aisément que les Allemands l'avaient forcé à travailler pour eux. Ce que je ne parvenais pas encore à saisir, c'était le champ d'action de Nikitos. Dans quel domaine œuvrait-il donc pour avoir autant d'importance aux yeux des nazis? Sûrement pas dans l'importation de sous-vêtements, tout aussi affriolants qu'ils puissent être!

Conscient de mon audace qui frisait le manque le plus total de savoir-vivre, je lui demandai carrément ce que vendait son mari. Elle me regarda intensément, l'œil triste, au bord des larmes et soupira de nouveau.

— La mémoire des hommes! Voilà ce qu'il brocantait. La mémoire du monde et les cris du cœur!

Elle paraissait tellement émue que j'en fus bouleversé. Un froid indéfinissable venait de s'interposer entre nous. Elle me tourna le dos, au propre et au figuré. L'heure des confidences s'était écoulée. Elle me fermait au nez la porte de ses souvenirs.

— Bon, il est tard. Je vais me coucher. À demain!

Elle sortit si rapidement, que je dus me précipiter à l'extérieur pour ne pas rester enfermé dans le garage. Elle me planta là, sans autre salutation, et réintégra sa maison. Vous ne sauriez concevoir l'amère déception qui me prit à la gorge. Gros-Jean comme devant! Je n'en savais pas vraiment davantage sur le mystérieux Nikitos Visvikis. Mais c'était mal me connaître que de croire que les choses en resteraient là! Ma curiosité naturelle viendrait bien à bout de cette énigme. Parole de Célestin!

9

Je passai tous les soirs de la semaine suivante, la deuxième de juin pour être plus précis, à fouiner à la bibliothèque municipale. Je ne m'étais jamais rendu compte de la quantité incalculable de documents disparates qu'elle contenait. Je concentrai mes recherches dans la section *Histoire, Seconde Guerre mondiale, Agissements coupables des nazis.* J'appris avec horreur et consternation que ces redoutables officiers s'étaient livrés aux pires bassesses. Ils avaient même pris un plaisir démoniaque à filmer et à photographier leurs actes dégradants.

Plus je découvrais de nouvelles atrocités, plus je frémissais d'angoisse en imaginant l'implication du père de Doudouche. Cette femme si droite, si exigeante envers elle-même et les autres, pouvait-elle être la fille d'un sympathisant nazi ? Il est vrai, pour sa défense, qu'elle l'avait à peine connu. Elle n'était âgée que de deux ans lors de son décès. Mais tout de même, quel émoi cela aurait pu provoquer dans notre petit monde en perpétuelle quête de scandale !

Aussi je me promis solennellement de ne jamais révéler à personne le fruit de mes recherches, si fruit je récoltais, bien entendu. Car, à la vérité, je me trouvais encore loin d'un résultat quelconque… Éplucher des centaines de livres avec la simple photo d'un homme comme référence s'avérait une tâche ardue! Mon espoir de connaître la vérité s'effilochait au fil des jours et des pages.

Le vendredi après-midi, après la classe, j'étais dissimulé derrière une pile de livres à une table de la bibliothèque. Je relisais pour la énième fois le résumé de mon enquête. J'avais noté les milieux louches dans lesquels baignaient les officiers allemands. Ma liste ne cessait de s'allonger: de véritables touche-à-tout, ces nazis! En tant qu'écumeurs des ghettos juifs, ils raflaient tout, même l'impensable.

Ils récupéraient jusqu'aux cheveux pour remplir les doublures des manteaux ou en faire du fil à tisser. Ils ramassaient les dents en or pour les fondre en lingots. J'ai même vu, quelle horreur! un délicat abat-jour fabriqué avec des peaux humaines tatouées. Pour dénicher plus dégoûtant que cet objet, il faut visiter le musée des monstruosités! Pour devenir plus sadique que les nazis, tu te transformes en vampire et tu bouffes le cœur de tes victimes!

Je replongeai bravement dans les livres d'histoire, non pas pour quérir le Graal, vainement convoité par les Allemands, mais pour y dénicher une vague information sur mon Nikitos. Refusant de croire que celui-ci aurait pris part à de viles actions, je poursuivis mes investigations en terrain moins sombre.

J'avais trouvé un splendide bouquin présentant les trésors volés et disparus lors des deux grandes guerres. Je restais abasourdi devant le nombre incroyable de toiles et de sculptures de grands maîtres subtilisées pendant les conflits. Si elle l'avait su, Caroline en serait certainement tombée malade de désespoir. Elle aime tellement l'art. Je feuilletais le livre nonchalamment, ne songeant plus aux massacres humains, admirant et regrettant les œuvres perdues. Au détour d'une page, une image me rappela confusément quelque chose. Mais quoi?

Je demeurai longtemps penché sur cette peinture. Elle représentait un groupe de musiciennes. Une femme se tenait au clavecin, une autre caressait une harpe, la troisième soufflait dans un instrument à vent que je ne connaissais pas et la dernière glissait un archet sur les cordes d'un violon. Toutes étaient revêtues de robes longues et larges comme dans le temps du roi Louis XIV. Toutes souriaient aimablement. Leurs gestes étaient empreints d'une grande douceur. Les tons pastel utilisés pour peindre ce tableau convenaient parfaitement au sujet.

Alors, pourquoi restais-je accroché à cette illustration? Je mis du temps à le découvrir. La photo de la Cadillac de Nicky m'y aida. Sur le siège arrière de la voiture, je n'avais remarqué que le coin supérieur d'une boîte ou d'une caisse, négligeant complètement la tache sombre à ses côtés. Peut-être était-ce parce que je n'avais pas réussi à l'identifier que je n'y avais accordé aucune importance. Maintenant, en y regardant de plus près, et en comparant avec la peinture, je reconnaissais l'objet en question : le bout effilé d'un étui à violon identique à celui à moitié caché par l'ample robe de la violoniste. L'étui était noir et légèrement luisant, comme s'il avait été verni.

Et puis, me direz-vous, qu'y a-t-il là d'exceptionnel ? Monsieur Visvikis jouait probablement de cet instrument pour le plaisir ! C'est possible. Néanmoins, je me fis la réflexion que, pas une seule fois, sa femme ne m'avait mentionné ce talent musical. Peut-être n'avait-il aucun talent, justement ! Dans ce cas, madame Visvikis s'était débarrassée du violon après la mort de son mari et elle évitait d'en parler, car elle trouvait cela ridicule.

Mais cette hypothèse ne me satisfaisait pas. Une idée s'imprima fortement en moi, surtout à la lecture du texte accompagnant l'image. On y parlait du rapt d'instruments de musique rares, comme les stradivarius. Vous connaissez ? De véritables merveilles musicales. Antonio Stradivari, luthier de son métier, confectionna, il y a trois cents ans, des violons de réputation mondiale. Aujourd'hui, ces œuvres valent une fortune. Les millionnaires adeptes de bonne musique se les arrachent au prix fort.

Vous vous dites que je divaguais en pensant que Nikitos avait été mêlé à la disparition de ces joyaux à cordes ? Je veux bien admettre que je ne possédais aucune preuve de ce que j'avançais.

Trimbaler un étui à violon dans sa voiture ne constitue pas en soi un acte criminel.

J'ai la mauvaise habitude de croire au coup du destin, comme si une main supérieure me guidait dans mes actions et mes réflexions. Que je sois tombé sur cette page ne relevait pas du hasard, j'en fus convaincu. Il fallait qu'il y ait un sens caché à ce que je venais de découvrir. Aussitôt, j'orientai mes recherches du côté des stradivarius envolés.

C

Le lendemain matin, je me sentais d'attaque en arrivant chez ma patronne. C'est elle qui ne semblait pas en forme. Le teint pâle, les traits tirés, les yeux cernés, elle m'inquiétait sérieusement. Pour une fois, elle ne me tint pas compagnie dans le garage, préférant se reposer.

Je travaillai seul jusqu'à l'heure du dîner. Puis, j'avalai rapidement mon sandwich et j'allai prendre de ses nouvelles. Je la trouvai au salon, songeuse et mélancolique. Elle afficha néanmoins un sourire à ma vue.

— Eh bien! Ça avance? Tu es satisfait de ton boulot?

— Ne vous faites pas de souci, bientôt la Cadillac brillera comme une neuve. Et vous, allez-vous mieux?

— Oui, oui. Enfin, ce n'est pas ma journée. Malgré le soleil, dehors, cela ressemble à un jour de pluie dans mon cœur. De vieux souvenirs idiots qui remontent à la surface. Rien de grave, rassure-toi.

Je ne fus pas du tout rassuré. Son ton sonnait noir et sinistre à mes oreilles. De toute évidence, elle sombrait dans la déprime totale. Que faire pour lui remonter le moral?

— Euh… Je peux aller me couper un oignon pour vous accompagner. C'est toujours plus agréable de pleurer à deux.

— Garde donc tes larmes de crocodile. Elles ne m'aideraient pas à me débarrasser de mon vague à l'âme. D'ailleurs, je ne vois pas ce qui pourrait m'aider.

— Peut-être un peu de musique? Du classique? Comme un concerto pour violon…

Voilà, je venais de lancer ma ligne. Allait-elle mordre à l'hameçon ou lever le nez sur mon appât? Elle fit pire, elle m'arracha pratiquement la canne à pêche des mains.

— Toi, tu as encore mis ton long nez de fouine un peu partout. Tu furètes comme une belette. Allez, déballe-moi ton sac! Qu'as-tu encore découvert?

Disparu, le ton larmoyant! Cette femme m'étonnait encore une fois par sa capacité à retomber sur ses pieds aussi rapidement. Ses yeux vifs se posaient sur moi, scrutant mes pensées et mes réactions. Je n'ai jamais su résister à ce type de regard. Même devant mes parents, je m'effondrais, alors devant cette vieille dame, comment aurais-je pu taire mes trouvailles? Je me mis à table.

— Oui, je suis une belette de la pire espèce. Dès que je rencontre un mur, je dois impérativement voir ce qui se dissimule de l'autre côté, quitte à m'en mordre les pouces par la suite.

Elle se contenta de sourire malicieusement.

— Pour moi, vendre la mémoire des hommes ou les cris du cœur ne signifiait rien de concret. J'avais besoin de comprendre. Depuis lundi dernier, j'ai lu tout ce qu'on a écrit sur les nazis, ou presque… Surtout ce qui concerne leurs activités commerciales, si l'on peut ainsi nommer le vol systématique des Juifs et d'autres races inférieures à leurs yeux.

— Eh bien, tu sais maintenant ce que les cris du cœur veulent dire. C'est vendre ce qu'on a arraché de force à de pauvres gens sous le couvert du régime de guerre.

— Et pour mieux vendre, augmenter ses profits au maximum, on passe par le meilleur des négociants, en l'occurrence, votre mari. Il était spécialisé dans les objets d'art, n'est-ce pas? Parce que la mémoire du monde, c'est l'art?

— L'art!… Le plus beau cadeau de nos ancêtres! Tu as bien deviné; sans l'art, comment pourrions-nous nous souvenir des générations antérieures? Un tableau nous en apprend davantage sur un siècle donné que le plus long des discours. Voilà le but ultime de l'art. Or, Nicky était un passionné. Il avait un faible pour la sculpture égyptienne ancienne et celle de l'âge d'or de la Grèce. Et que dire des vases grecs antiques! Il parvenait d'un seul regard à les dater. Tous les collectionneurs faisaient appel à ses services avant d'acheter une pièce, autant pour en connaître le prix d'achat que la valeur exacte. Il était plus qu'un simple antiquaire, il avait étudié l'archéologie. Les hommes comme lui étaient très recherchés par les nazis. Ces pillards s'arrogeaient des droits sur tous les objets d'art appartenant aux Juifs. Ils ont mis à sac des musées, des galeries d'art et même des temples et des synagogues. Des escrocs qui ne respectaient rien et qui faisaient main basse sur tout ce qu'ils voyaient, que ce soit un Léonard de Vinci ou un vase byzantin ou…

— … ou un stradivarius? Est-ce que je me trompe si je déduis que l'étui photographié dans la Cadillac contenait un violon aussi célèbre?

Elle me considéra avec le plus grand sérieux avant de décréter:

— Tu ferais un détective impitoyable. Oublie ta carrière de prédicateur, il n'y a pas d'avenir là-dedans. Ouvre-toi un cabinet de recherche: «Investigations célestes. Avec Jésus, Marie et Josaphat de votre côté, vous trouverez! En deux temps et trois *Ave Maria*, rien ne vous échappera!»

Je fronçai les sourcils et je lui reprochai douce-ment son attitude. Je suis incapable de me montrer brusque.

— Madame Visvikis! Vous devriez avoir honte de parler ainsi. Que vous y croyiez ou non, l'ange qui guide mes pas m'a effectivement permis de tomber pile sur l'information qui m'a mené à ce raisonnement.

— Combien de temps y as-tu passé? Un jour, deux, une semaine entière? Dans ce cas, je préfère croire en ta persévérance (car tu n'en manques pas) et en ton esprit logique (ce dont tu n'es pas dépourvu, non plus) plutôt qu'en un être supérieur. Je te l'ai déjà dit, je ne crois pas en Dieu depuis des lustres. Je refuse de me soumettre à un destin tracé d'avance ou d'être une marionnette dans les mains d'un metteur en scène tout-puissant et complètement marteau. Car il faut qu'il soit tout à fait déboussolé pour créer des personnages pervers et infernaux. Et puis, je n'ai pas envie de discuter de cela en ce moment. Ce sujet m'irrite !

Je vous le confirme, elle était bel et bien irritée. Aussi, je tus toutes les remarques et les observations que j'aurais pu lui faire pour tenter de la convaincre et je revins au sujet qui nous intéressait à cet instant.

— Comme vous voudrez, je n'insiste pas. Mais, ai-je raison ou tort à propos du violon ?

— Évidemment que tu as raison ! Le plus ironique, dans cette affaire, c'est que tu as tout compris à partir du violon, même si celui-ci ne concernait pas vraiment Nicky. Il n'y connaissait rien en stradivarius. Il devait l'apporter à un expert pour l'authentifier.

— Si votre mari n'était pas spécialiste dans le domaine, pourquoi les nazis ont-ils fait affaire avec lui ?

Elle se prit la tête à deux mains et murmura :

— Ah ! Ce que c'est compliqué, et tellement difficile à expliquer !

Elle garda le silence, soit pour mieux s'en souvenir, soit pour réfléchir à ce qu'elle voulait bien me révéler. J'évitai soigneusement de la harceler par des questions qui l'auraient dérangée. Elle finit par relever la tête.

— Ta politesse et ton savoir-vivre t'honorent, Célestin. Un autre que toi m'aurait poussée au pied du mur pour tout connaître. Pour ta récompense, je vais lever un coin du voile, juste un petit coin. Ouvre grand tes oreilles, je ne répéterai pas.

Conseil inutile, j'étais déjà tout ouïe. De nouveau calme et souriante, elle me conta un moment crucial de la vie de Nikitos.

— En 1945, au mois de mars plus précisément, la guerre s'achevait, mais à l'époque nous l'ignorions, bien sûr. Nicky est allé en Suisse. C'est sur ce terrain neutre que s'opéraient toutes les transactions des hauts officiers allemands. D'ailleurs, encore aujourd'hui, les banques suisses regorgent d'argent volé aux Juifs et placé là par les nazis. Bref, un colonel avait demandé à mon mari de se rendre dans un petit village en bordure de la frontière allemande. Ce n'était pas la première fois. Il savait bien ce qui l'attendait. On lui montrerait des objets d'art qu'il devrait identifier et évaluer. Il photographierait les pièces en question et, ensuite, photos en main, il reviendrait en Amérique pour trouver des acheteurs. C'est seulement lorsque la moitié du prix de vente serait transférée dans une banque suisse que les objets d'art prendraient le chemin de l'Amérique, et les acheteurs donneraient le reste de l'argent à ce moment-là. Les transactions se passaient habituellement ainsi et mon mari recevait une bonne commission.

— C'était tout de même risqué comme travail. Le simple fait d'aller en Europe en temps de guerre mettait sa vie en danger.

— Oui, je me morfondais d'inquiétude en attendant son retour. Je tremblais pour lui à chacun de ses voyages d'affaires. J'espérais tellement la fin de cette guerre, tu ne peux t'imaginer. Pour revenir à la dernière fois, en mars 1945, les choses se sont déroulées différemment. Il y avait des vases et des plats grecs, deux minuscules statues étrusques, des bijoux égyptiens et un violon. Ce dernier objet embêtait Nicky puisqu'il s'y connaissait peu en instruments de musique. Il était incapable de l'authentifier. Il apprit avec surprise que ce n'était pas ce qu'on attendait de lui. Pour une fois et assez bizarrement, le colonel allemand se trouvait seul avec lui. D'habitude, plusieurs officiers et sous-officiers l'accompagnaient, probablement pour éviter que des objets disparaissent et que quelqu'un se graisse la patte. Ce rendez-vous-là sentait… la panique! Oui, comme lorsque les rats déguerpissent d'un navire en flammes!

— Pensez-vous que le colonel se doutait qu'ils allaient perdre la guerre?

— Absolument. Cette canaille préparait sa fuite en Amérique. Il a ordonné à Nicky d'emporter immédiatement tout le stock avec lui, de le vendre au meilleur prix et de placer l'argent dans un compte que l'Allemand possédait aux États-Unis. Il lui a aussi fait des menaces à peine voilées. Il savait où le retrouver si Nicky n'obéissait pas. Mon pauvre Nicky se sentait terriblement mal à l'aise, il prévoyait le pire en cas de refus, autant pour lui-même que pour moi. Donc, il a accepté. Au bout de quelques jours, il était de retour à Washington. Il est entré en contact avec des acheteurs potentiels. Ce genre de transaction exige du temps. Lorsqu'on a appris la chute de Berlin et la mort d'Hitler, un mois plus tard, la vente était pratiquement effectuée.

— Et le colonel allemand, où se trouvait-il à ce moment-là? Avait-il réussi à prendre la poudre d'escampette et à se rendre aux États-Unis?

— C'est ce qu'on ignorait. Nous n'avions aucun moyen de nous renseigner. Alors, Nicky a opté pour la prudence. Il a vendu les vases et les plats et a versé l'argent dans le compte du colonel. Il a gardé les statuettes et les bijoux, qui ne prenaient pas beaucoup de place, en prétextant que le prix offert ne convenait pas. Quant au violon, il ne l'avait pas encore fait examiner par un luthier professionnel. Pas facile de trouver une personne fiable qui n'irait pas crier sur tous les toits qu'il avait découvert un stradivarius! Et nous avons attendu des nouvelles du nazi. Cinq années complètes ont passé sans qu'on entende parler de lui. Nicky n'en pouvait plus de guetter l'arrivée du colonel; il a décidé que nous allions émigrer au Québec. Les trésors volés cachés au fond de nos valises, nous avons traversé la frontière et nous nous sommes installés à Montréal. Au début, on se terrait dans notre logement, dans l'espoir de passer inaperçus. C'est terrible de vivre dans la peur continuelle d'être poursuivis par des criminels de guerre. On voudrait que ce ne soit qu'un mauvais rêve et se réveiller dans une vie nouvelle. Mais justement, il ne faut pas attendre après une existence meilleure, on doit se la faire soi-même.

— Tout à fait d'accord! Au risque de vous déplaire, chez nous on dit: «Aide-toi et le ciel t'aidera!» Je vous vois mal dans le rôle de la proie tremblante et figée d'effroi. Vous êtes plutôt du genre à vous prendre en main.

— Tu peux garder ton ciel pour toi, moi, j'avais Nicky et il me suffisait. Il s'était trouvé de nouveaux clients, plus honnêtes. Les années passaient et on parlait de moins en moins des nazis et de la Seconde Guerre mondiale. Alors un jour, d'un commun accord, nous avons convenu que nous pouvions disposer à notre guise du trésor. La vente d'une statuette et des bijoux nous a rapporté une somme importante. On a déniché une jolie maison. Nicky s'est gâté avec la Cadillac.

— Vous avez empoché l'argent sans remords!

— Oh oui! Je n'ai jamais aussi bien dormi qu'après cette démarche! Tant qu'il s'agissait d'objets d'art, ils nous brûlaient les doigts, ils mettaient notre vie en danger. Une fois vendus, ce n'était plus que de l'argent. Un dédommagement, en réalité, pour tous les inconvénients et l'angoisse que nous avions vécus. Cet argent, nous le méritions. D'ailleurs, qui d'autre aurait pu s'en prévaloir?

— Ceux à qui les objets avaient été volés.

— Mais qui étaient-ils? Nous n'en avions aucune idée. Malgré une année de recherche à nous informer à gauche et à droite, nous ne savions toujours pas d'où provenaient ces articles. Donc, en toute logique, nous en étions dès lors les propriétaires. Tant pis pour les absents!

Quelle conscience élastique! Devais-je la blâmer pour avoir profité du bien d'autrui ou l'admirer pour son audace indomptable?

— Et le violon? Qu'en est-il advenu?

— Qu'il soit maudit entre tous, cet instrument de sa perte! Nous l'avons caché pendant deux autres années, et jamais nous n'aurions dû le sortir de son trou. Un stradivarius ne passe pas inaperçu. Nicky se méfiait pourtant, mais pas suffisamment… Il a rencontré un bon luthier, un Polonais qui connaissait bien son affaire. Trop bien. Je crois qu'il l'a reconnu. Oui, le luthier avait déjà vu ce stradivarius et savait qu'il était passé entre les mains des nazis. Il n'en a pas soufflé mot à mon mari, mais Nicky a eu des doutes. L'attitude du luthier lui semblait louche. Néanmoins, celui-ci l'a mis en contact avec un riche médecin américain avec qui un marché a été conclu. Que s'est-il passé exactement le jour de la vente? Je n'ai que des présomptions, mais depuis plus de cinquante ans, elles me tiennent lieu de certitudes. On a assassiné mon Nicky!

— Euh… L'avez-vous rapporté aux autorités?

— Comment l'aurais-je pu? Tout le monde a affirmé qu'il s'agissait d'un accident. Mais je n'y crois pas. Il a trouvé la mort à son retour de la vente du violon aux États-Unis. Est-ce normal, ce genre d'accident en plein jour, sur une route large, droite et dégagée? Non, je t'assure, le camion a fait exprès de foncer sur la Cadillac. Dans son gros poids lourd, le chauffeur ne risquait rien. Nicky a tout tenté pour l'éviter, les traces de freinage sur la chaussée l'ont démontré. De son côté, le camion n'a pas freiné. Il ne s'est arrêté que plus loin. Probablement pour aller fouiller dans la voiture ou les poches de mon mari. Viens, je vais te montrer la preuve de ce que j'avance. À moins que tu ne l'aies effacée avec tes réparations.

Elle m'entraîna dans le garage. Penchée sur le côté gauche de la voiture, elle pointa son doigt vers une longue marque sur l'aile avant et la portière du conducteur. J'avais déjà remarqué cette tache de peinture blanche et j'avais mis cette éraflure sur le compte d'une maladresse, comme si Nicky avait accroché le cadre de la porte du garage. En y regardant de plus près, cela pouvait ressembler à une trace laissée par une seconde voiture qui l'aurait non seulement frôlée mais carrément bousculée.

— C'est ainsi que les choses ont dû se dérouler, reprit la vieille dame d'un ton accusateur. Le camion a fait semblant de dépasser Nicky, mais sitôt qu'il s'est trouvé à sa hauteur, il est revenu immédiatement dans sa voie et a poussé la Cadillac dans le décor. Nicky ne pouvait résister au poids de ce mastodonte. Je te le dis, c'est un meurtre.

— Je vous l'accorde, cet accident ne semble pas normal. Mais pourquoi aurait-on voulu le tuer?

— Pour l'argent! La vente du violon lui rapportait une somme énorme. Tu n'as aucune idée de la valeur d'un stradivarius. De plus, un autre conducteur, arrivé sur les lieux juste après l'accident, a surpris le chauffeur du camion qui cherchait quelque chose dans la Cadillac. Ce dernier a bafouillé une vague explication et a quitté les lieux assez rapidement.

— Pour savoir que votre mari transporterait un aussi gros montant, il fallait que le chauffeur fût de mèche avec le luthier.

— C'est exactement ce que je pense. Nicky ne se méfiait pas pour rien. Par la suite, j'ai essayé de retrouver cet homme. Il a déménagé dans l'Ouest, du côté de Los Angeles. Impossible de le contacter. Il n'a jamais répondu à mes lettres. Je n'ai qu'une seule consolation : l'assassin n'a pas pu mettre la main sur l'argent ! Nicky l'avait très bien caché. C'est grâce à cette somme que j'ai pu élever ma fille sans problème financier.

— Et sans qu'elle sache vraiment de quoi vous viviez ! Car elle a toujours tout ignoré, n'est-ce pas ?

— Comment agir autrement sans ternir la mémoire de son père ? Son père, un revendeur d'antiquités volées à la solde des nazis ! Je lui ai fait croire que Nicky avait une bonne assurance-vie.

— En réalité, chaque fois que vous en éprouviez le besoin, vous alliez changer quelques-uns des gros billets américains que vous planquez dans… votre Cadillac !

Elle me sourit en secouant doucement la tête.

— Grande fouine, va ! Depuis combien de temps as-tu découvert ma cachette ? Assez en tout cas pour te poser des tas de questions sur la provenance de mes billets verts. Je me doutais bien que cela arriverait et pourtant je ne les ai pas changés de place.

— Peut-être y a-t-il trop longtemps que vous retenez ce secret? Un jour on éprouve fatalement le besoin de se confier, de se libérer du lourd silence qu'on s'impose.

— Maintenant que je me suis confessée à toi, tu veux me donner l'absolution? Non merci, épargne-moi ce second boulet. Je ne réclame le pardon de personne. D'ailleurs, je ne me sens nullement coupable. Gênée, à la limite, du rôle que les nazis ont forcé mon mari à jouer, mais coupable, jamais de la vie! On ne vient sur Terre qu'une fois. On n'a droit qu'à une seule chance pour retirer le maximum des plaisirs que l'existence nous offre. Je n'allais tout de même pas la gâcher en remords inutiles. Ce qui est fait ne se défait pas. Je l'ai accepté et j'ai plongé dans la vie. Et tu devrais faire de même. Je te donne congé cet après-midi. Il fait un temps superbe. Va rejoindre Caroline et promène-toi avec elle. Profites-en pour lui parler de tous les objets d'art volés par les officiers allemands, ça la passionnera! Salut, Célestin!

10

Avez-vous remarqué avec quelle facilité madame Visvikis se débarrassait de moi ? D'un geste de la main, elle me mettait à la porte. Et moi, je sortais sans rouspéter. Pourquoi m'y serais-je opposé ? Chez elle, elle avait le droit de recevoir qui elle voulait et quand elle le désirait. Le problème, c'est que, moi, je ne parviens pas à l'expulser de ma tête. Sérieux ! Cette vieille dame, à la fois digne et indigne, me tourmente.

Je pense continuellement à elle. Ses paroles résonnent dans ma mémoire et font vibrer une corde sensible. Avoir eu une grand-mère comme elle, ma destinée en aurait été transformée. Elle me troublait en bousculant allègrement la doctrine enseignée par mon père, à qui j'en touchai un mot. Doug, en excellent prestidigitateur, jongla avec les notions d'humanité, de foi, de miséricorde et d'espérance en un monde meilleur. Jamais il n'accusa la vieille dame de quoi que ce soit. Il conclut même son petit discours par des phrases empreintes de bonté et d'ouverture d'esprit :

— *Son* (fils) – c'est toujours ainsi qu'il m'appelle –, tends-lui la main et partage ton cœur avec elle. Elle mérite ton affection et ton admiration pour avoir survécu à une aussi rude épreuve. Passer à travers une guerre perturbe un être humain. On en sort toujours perdant. Laisse l'Éternel additionner les points positifs et négatifs. La juste part reviendra à chacun, de l'autre côté de la frontière céleste et…

Je vous fais grâce de la suite puisque j'ai promis de ne pas tenter de vous endoctriner. Mais qu'est-ce qui m'empêchait d'essayer de ramener madame Visvikis dans le droit chemin? Rien, à la vérité, sinon le respect que j'éprouvais pour sa rectitude. J'entends déjà vos objections. «De quelle rectitude parle-t-il? Elle vit à même les profits de la vente d'objets volés. Légalement, on appelle ce larcin un détournement de fonds ou une appropriation malhonnête. De quoi passer plusieurs mois à l'ombre des barreaux d'une prison!»

Vous n'avez pas tout à fait tort, mais pas entièrement raison, non plus. Au sens strict de la justice, elle a mal agi. Néanmoins, humainement, elle a démontré une force de caractère hors du commun. Malgré la hantise perpétuelle de devenir la cible des bandits qui avaient exécuté son mari, elle a élevé sa fille sans se cacher, lui procurant le meilleur, la poussant à entreprendre des études supérieures, idéalisant constamment son père à ses yeux. Fallait le faire, non! Et sans jamais avoir recours au soutien divin. Veuve, loin de sa famille, elle ne comptait que sur elle-même et elle a fort bien réussi l'éducation de sa fille (quoi qu'en disent certains petits malins de la polyvalente!…). Cette capacité à affronter seule l'adversité m'éblouissait. Chez moi, dès que quelque chose ne fonctionne pas, on se tourne vers Jésus et Marie pour qu'ils nous guident. Que quelqu'un puisse se passer du soutien divin et vivre sereinement me dépasse! Comment ne pas admirer cette brave dame?

Je réfléchissais à tout cela après avoir reconduit Caroline à la maison. Nous avions passé notre samedi soir au cinéma à visionner le dernier film québécois, dans le style comédie policière où personne ne se prend au sérieux.

Il était tard. La rue baignait dans l'obscurité comme un canard dans une marée noire. Trois lampadaires sur quatre ne fonctionnaient pas. Il me prit l'envie subite d'aller vérifier si tout allait bien chez ma patronne. D'un pas nonchalant, je traversai la chaussée. Elle devait ronfler, alors rien ne pressait. Comme je m'y attendais, la porte d'entrée était bien verrouillée, les rideaux étroitement fermés, et le silence régnait. Je contournai la maison avec l'idée de me rendre au garage et d'y jeter un coup d'œil.

Un malaise me saisit lorsque je remarquai que la porte extérieure de la cuisine, à l'arrière, était entrouverte. Normalement, cela aurait dû déclencher l'alarme. Madame Visvikis avait probablement oublié de la mettre en marche. J'allais fermer la porte quand j'entendis des bruits de voix. Aucun doute, on se disputait à l'intérieur. Mon malaise se transforma en coup au plexus quand je m'aperçus qu'il s'agissait de voix jeunes, masculines et pas très distinguées. Madame Visvikis n'a ni petit-fils ni neveu. Alors qui se trouvait avec elle et osait lui parler sur ce ton?

Je m'approchai à pas de loup de la porte, prenant garde de ne pas faire craquer les planches du balcon. Évitant d'être découvert, je me postai de façon à n'entrevoir qu'un coin de la cuisine. De là j'avais une vue imprenable sur la cuisinière et le réfrigérateur, mais je ne voyais rien d'autre entre les lamelles du store vertical. Cependant, j'entendais parfaitement. Je comptai quatre voix masculines plus celle, à peine audible, de ma patronne.

— Hé, la vieille! T'as fini de nous niaiser!

— Envoye! Où il est, ton cash? On va la revirer à l'envers, ta cabane, mais on va le trouver.

— On devient mauvais quand on perd notre temps. Pis, tu pourrais le regretter…

— T'es pleine aux as. C'est pas gentil de garder tout cet argent pour toi. T'es vieille pis tu vas crever bientôt, t'en as pas besoin.

— Regarde comment je vais t'arranger le portrait si tu continues à te taire!

Joignant le geste à la parole, le brigand (comment l'appeler autrement?) s'élança et frappa d'un solide coup de bâton de base-ball ce qui traînait sur le comptoir de cuisine. Le pot à biscuits vola en éclats. Le grille-pain tomba sur le sol. Un verre en plastique disparut subitement de mon champ de vision. Le rire des autres monstres enterra les cris apeurés de madame Visvikis.

J'en avais assez entendu pour savoir ce qui se tramait. Je me devais d'agir au plus vite. Non, je ne fonçai pas sur la porte et je ne me battis pas seul contre quatre fous armés de bâtons et de couteaux. Je ne m'appelle pas Jacky Chan, moi! Mais j'ai un cerveau! Et je m'en sers.

D'abord, j'essayai de séparer le groupe en faisant diversion. J'allai tout bonnement sonner à la porte d'entrée, puis je revins en courant me cacher sous la galerie. Les cris cessèrent à l'intérieur. Je les imaginai, paniqués, se demandant qui survenait à pareille heure. Deux d'entre eux sortirent alors par derrière pour surprendre le nouvel arrivant tandis qu'un autre allait répondre.

J'hésitai un moment à profiter de la situation et à entrer brusquement dans la cuisine. Et après que se passerait-il? Je maîtriserais peut-être le gars qui surveillait la prisonnière. Mais ensuite, je me ferais sauter dessus par les trois autres malfaiteurs. Pas très brillant! Je me rendis soudain compte que, sous le balcon, il y avait un soupirail donnant au sous-sol. Je m'efforçai de l'ouvrir. Lorsque j'y fus parvenu, je montai sur le balcon. Les quatre types, de nouveau réunis dans la cuisine, discutaient entre eux. Ils se demandaient qui les avait dérangés et s'ils devaient quitter les lieux. Malheureusement, ils optèrent pour un interrogatoire plus serré de leur victime. Merde! (Si vous me permettez cette expression.)

J'allai sonner une deuxième fois et je revins dans la cour par l'autre côté de la maison.

Je me faufilai en douce par le soupirail. Là, je dis mon plus beau merci à mon père! Vous ne le croirez pas, mais Doug pense à tout. Selon lui, un motocycliste doit prévoir toutes les éventualités : les crevaisons, les pannes d'essence et j'en passe. Donc, je dois trimbaler avec moi la trousse complète du parfait réparateur, qui inclut une minuscule lampe de poche. La mienne n'est pas plus grosse que mon auriculaire, mais se révèle aussi efficace qu'un phare en bordure de l'Atlantique.

Je me dirigeai donc clairement et silencieusement à travers le bric-à-brac du sous-sol. J'atteignis rapidement le haut de l'escalier. Avant de pousser la porte, je tendis l'oreille et j'éteignis ma lampe. Mes quatre bandits palabraient dans la cuisine. J'en profitai pour me glisser dans la salle de bains. Aussi ridicule que cela puisse vous paraître, madame Visvikis cachait la télécommande de l'alarme de la maison et du garage dans un panier d'osier débordant de boules odorantes pour le bain. Pas étonnant qu'elle oubliât parfois de s'en servir.

Je plongeai la main dans le panier et mes doigts découvrirent, en plus de la manette, un trousseau de clés. Celles de la maison et de la Cadillac. Je mis mes trouvailles dans la poche de mon gilet de cuir, elles pourraient toujours servir. Pendant ce court laps de temps, les quatre tordus se chamaillaient carrément. L'un ne pensait qu'à se sauver. Un autre voulait fouiller la maison sur-le-champ. Le troisième insistait pour faire cracher le morceau à la petite vieille. Le dernier, furieux de s'être déplacé pour rien, vidait avec fracas le contenu des armoires, inondant le plancher de vaisselle cassée.

Je me sentais débordé par les événements et je prévoyais le pire pour ma pauvre amie. Il fallait absolument que je trouve une idée pour les attirer tous dans la pièce la plus éloignée de la cuisine. Je longeai le corridor jusqu'à la chambre à coucher où j'ouvris la fenêtre et la moustiquaire. Je fis tomber par terre la lampe de chevet et quelques bibelots (un peu plus ou un peu moins de verre brisé, au point où on en était!) et je m'engouffrai rapidement dans le salon. J'eus à peine le temps de me blottir entre le sofa et le mur que les quatre nigauds se précipitaient dans la chambre en gueulant comme des chimpanzés.

Deux clins d'œil plus tard, j'entrai dans la cuisine pour apercevoir le spectacle le plus navrant qui soit. Madame Visvikis était ligotée à une chaise, tremblant d'effroi, les yeux ronds d'épouvante, quelques ecchymoses au visage, respirant difficilement. Sans perdre un instant, j'attrapai le couteau à pain qui traînait sur le plancher parmi les débris de porcelaine et les ustensiles divers. J'eus vite fait de couper ses liens. L'entraîner dehors fut plus ardu. Ses jambes ankylosées refusaient de la soutenir. Je dus la porter. Sans une plainte, elle s'accrochait à moi. Je lui chuchotai à l'oreille:

— Je vous emmène chez Caroline. Elle appellera la police et vous y serez à l'abri.

— Non, non! répliqua-t-elle avec une fermeté qui m'étonna. Je refuse de partir sans mon trésor.

Dans un moment pareil, elle se préoccupait davantage de son argent caché dans la voiture que de sa propre sécurité!

— Mais on n'a pas le temps d'aller le chercher, il faut aller chez mon amie…

— Si c'est ce que tu crois, dépose-moi ici et sauve-toi. Je vais me débrouiller toute seule.

Elle se débattait pour que je la lâche. Alors, j'ai cédé à sa demande.

— D'accord! D'accord! Mais c'est moi qui mène l'opération. Laissez-moi faire. J'ai plus de chances que vous de réussir.

Elle cessa aussitôt de s'agiter et j'allai la déposer derrière le garage, entre deux bosquets de cèdres. Elle promit de m'attendre sagement, surtout si je lui rapportais aussi la statuette.

— Quelle statuette?

— La deuxième statue étrusque miniature! Celle que le colonel allemand nous a confiée et que Nicky n'a jamais vendue. Elle est cachée dans la rembourrure du siège du passager.

— D'accord, je vais trouver.

Je restai près d'elle un moment, épiant les réactions de nos voleurs. Deux d'entre eux mirent le nez à la porte de la cuisine, en cherchant des yeux leur victime envolée. Ne la trouvant pas, ils disparurent à l'intérieur. Par la porte entrebâillée, je voyais leurs ombres chinoises qui gesticulaient en tous sens.

Je crus deviner qu'ils préféraient la chasse au trésor à la poursuite de la fugitive. Je rasai le mur jusqu'à la porte du garage. D'une pression sur la manette, je l'ouvris. Aller prendre le magot sous les sièges fut un jeu d'enfant. Quand le sac de cuir et la statuette furent transférés de leur cachette au fond de ma poche, un désir fou naquit sous mon crâne. Celui de la vengeance!

J'insérai la clé dans le contact et je priai pour que ça fonctionne. Je la tournai d'un geste sec et le moteur ronronna. Je vous le dis, c'est une pure merveille, cette mécanique! Elle roule pratiquement sur des billes…

Je klaxonnai et je courus me cacher sur le côté du garage. J'obtins l'effet désiré. Les quatre nigauds sortirent en vitesse de la maison. Ils semblaient convaincus que la pauvre madame Visvikis tentait de fuir au volant de son automobile. Ils s'engouffrèrent dans le garage, prêts à la retenir de force et ainsi l'empêcher de prévenir la police.

Lorsqu'ils furent à l'intérieur, j'écoutai leurs remarques, le cœur battant.

— Sors de ton trou, vieille folle! Si tu penses que tu vas te sauver de même!

— Tu parles d'un hostie de vieux char, toi! Il date du déluge ou quoi?

— Laisse faire le char pis cherche dans le coin. Toi, regarde par là…

J'en avais assez entendu. À leur voix, je devinai qu'ils se tenaient dans le fond du garage. Aussi, de deux coups de manette, je fermai et je verrouillai la porte. Puis, je mis le système d'alarme en marche. Si jamais ils parvenaient à ouvrir, ce dont je doutais fort, tout le quartier serait alerté.

Je retournai, rassuré, rejoindre madame Visvikis. Elle gisait inanimée entre les cèdres. Seule sa respiration sifflante m'indiqua qu'elle vivait encore. Tremblant d'inquiétude, je la soulevai et la ramenai à la maison.

11

Je ne tiens pas à vous conter dans le détail l'arrivée des policiers, de l'ambulance et de Double-V. Ce fut pénible, énervant et assez chaotique. Je ne savais plus où donner de la tête. Tout le monde me questionnait en même temps. Heureusement pour moi, la directrice adjointe prit ma défense. Selon ses propres paroles, j'étais un enfant sage à qui on n'avait rien à reprocher, tandis que les quatre tortionnaires cloîtrés dans le garage ne méritaient que la chambre à gaz!

Le gaz, ils y avaient déjà goûté, mais ils ne demeurèrent pas enfermés assez longtemps pour suffoquer. Je n'avais aucun remords d'avoir manqué de les asphyxier. Ce n'est pas ma faute s'ils n'avaient pas pensé à couper le contact. Trop tartes pour réfléchir, j'imagine! Comme ils n'étaient bons qu'à tout casser, ils ont fracassé l'unique fenêtre du garage, trop petite pour qu'ils puissent sortir, mais assez grande pour permettre la circulation d'air.

Aujourd'hui, je regrette de ne pas avoir agi plus judicieusement. Si seulement je n'avais pas cédé à son insistance, j'aurais conduit ma patronne chez

Caroline. Je nous revois encore à l'urgence. Doudouche faisait les cent pas en attendant les nouvelles. Moi, je la regardais aller jusqu'à m'étourdir. Elle n'arrêtait que pour me poser une question ou pour me lancer une remarque. Une vraie hyperactive, cette femme! Je finis par me lever et offrir d'aller lui acheter un café. Ça ne la calmerait sûrement pas, mais une petite promenade me changerait les idées.

En déambulant dans les longs couloirs, où l'on n'est jamais seul, j'essayais de comprendre. Pourquoi ces voyous avaient-ils attaqué cette pauvre vieille dame? La réponse m'assaillit alors que j'arrivais devant la machine à café: parce qu'elle avait installé un système antivol! On n'achète un tel appareil que si on veut protéger quelque chose de précieux. D'où leur venait le renseignement? N'avions-nous pas croisé l'un d'eux à la quincaillerie lors de l'achat du système? Je le crois, mais je ne pourrais le certifier.

Affligé par la tournure des événements, je revins vers la salle d'attente, la mine basse et le cœur lourd. J'y trouvai la directrice adjointe qui causait discrètement avec un médecin. J'attendis qu'il s'éloigne pour m'approcher d'elle. Elle refusa le café d'un signe de tête. Elle se contenta de murmurer du bout des lèvres:

— C'est fini, maintenant. Son cœur a flanché. Tu peux retourner chez toi, on a assez abusé de ton temps.

Ses yeux se noyèrent de larmes.

C

Moi aussi, j'ai pleuré. La présence d'un prêtre aux funérailles de ma vieille amie m'a paru ironique. Je me demandais: «Qu'en pense madame Visvikis dans l'au-delà?» Sûrement rien du tout, puisqu'elle ne croyait pas à la vie après la mort. Mais je suppose que Doudouche y tenait. Alors les cendres furent déposées en terre bénie. *Tu es poussière et poussière tu redeviendras.*

Après la cérémonie, madame Visvikis fille m'a remercié pour mon aide (si peu utile, en y réfléchissant bien!) et m'a tendu quelques billets pour payer mon travail sur la Cadillac. J'ai décliné l'argent en prétextant que j'avais tenté de la réparer pour le plaisir (ce qui était en partie vrai). Je ne pouvais pas accepter un salaire pour un travail non terminé. Et puis, d'une certaine manière, pour ne pas dire d'une manière certaine, j'avais déjà été grassement rémunéré.

Vous vous en souvenez? L'argent américain? Et la petite statue? Le sac de cuir et l'objet d'art se trouvaient encore en ma possession. Ce jour-là, en écoutant Viviane Visvikis me parler de sa mère, j'ai compris que cette dernière n'avait toujours entretenu qu'un seul désir: que sa fille n'apprenne rien des activités clandestines de son père. J'ai donc décidé de garder le secret. Ainsi que l'argent et la statue, par le fait même. Autrement, comment aurais-je pu expliquer l'existence du trésor de la vieille dame ? Quelle excuse aurais-je dû inventer ? Quel mensonge broder ? Rien de ce que je pouvais imaginer, aucune fabulation ne se situait à la hauteur d'une telle somme.

J'ai conservé ces dollars américains sans le moindre sentiment de culpabilité. Oh non ! Je vous en prie ! Ne me sortez pas les sempiternels sermons sur l'honnêteté, la droiture et la vertu. Je les connais par cœur. Ceux-là et tous ceux que vous voudrez sur la miséricorde, l'amour de son prochain et… le jugement dernier pour le pécheur !

Je dois vous avouer qu'on m'en a tellement rabâché les oreilles depuis ma tendre enfance que… je n'y crois plus. Ni à cela ni à bien d'autres choses.

Cette révélation vous étonne ? Évidemment, après tout ce que je vous ai seriné, vous admettez difficilement que, moi, le Capoté de Dieu, je parle ainsi. Bon, alors je me confesse sans espoir d'absolution. Il y a belle lurette que je ne crois plus en Dieu. Cela date environ de l'époque de mes fameux rêves sur la mort. Aucune des explications qu'on m'a données ne me satisfaisait. À force d'y songer, j'ai conclu que l'au-delà, le paradis et l'enfer n'existaient pas. En écoutant les sermons de mes parents, j'avais l'impression qu'on voulait me faire gober n'importe quoi. Je ne croyais pas qu'ils agissaient avec le désir de me leurrer, mais je pensais plutôt qu'ils étaient les premières victimes de la doctrine qu'ils répandaient. J'ai tu mes objections et j'ai suivi leur exemple. Mais au fond, toutes mes belles paroles ne valent guère plus que la poussière dans le vent.

Vous m'accuserez d'être menteur et dissimulateur. Pour ma défense, je ne possède que ma couardise. Je suis un peureux, quoi! Tout petit, je tremblais de peur à l'idée de déplaire à mes parents. Leur croyance sacrée les guide dans l'existence et leur permet d'espérer qu'un jour la paix et l'amour régneront partout. Je suis effrayé à la pensée de leur causer du chagrin en balançant toute leur idéologie par la fenêtre. Chacune de mes actions n'est motivée que par la crainte. Celle d'être mal jugé par mes semblables, mes parents les premiers. Celle de perdre leur amour et leur considération.

Dans cette histoire, je n'ai qu'un seul terrible regret. J'aurais dû m'ouvrir à la vieille dame. De toutes les personnes que j'ai connues, elle seule pensait vraiment comme moi. Elle seule m'aurait compris. Pour mon plus grand chagrin, j'ai tenu mon rôle jusqu'au bout. Le personnage m'allait comme un gant. Un costume fait sur mesure. Normal, c'est moi qui l'ai tricoté! J'hésite encore à m'en dévêtir. Sans lui, je vais me sentir tout nu.

«Allons, allons! Un peu de cran! me dirait madame Visvikis. Il n'y a pas d'avenir dans la prédication. Change de branche!»

Pour elle, tout paraissait si facile. La simplicité du courage! Je devrais m'en inspirer et jeter par la fenêtre ma mauvaise habitude de mentir sur mes convictions réelles. Pas facile à réaliser! Il vaudrait peut-être mieux que je prenne ce vice tenace par la main et que je lui fasse descendre les marches une par une. L'escalier s'annonce long…

Chère madame Visvikis, vous qui rejetiez Dieu et ses anges, vous allez devenir mon guide spirituel. Je jure sur vos cendres de suivre votre exemple et de vivre librement mon athéisme. Avouez qu'avec trois cent mille dollars (américains) en poche, ça m'aidera grandement à devenir courageux ! Je vais me recycler. Je lâche la prédication pour l'archéologie et la vente d'antiquités. C'est plus payant et j'ai déjà une pièce en main : la statuette étrusque ! Et puis, je tombe dans les cordes de Caroline. Elle est si jolie…

TESTEZ VOS CONNAISSANCES

Saviez-vous que... selon la Charte des droits et libertés de la personne, la discrimination fondée sur la religion est interdite au Québec?

Saviez-vous que... toujours selon la Charte des droits et libertés, personne ne peut être forcé de croire en une religion?

Saviez-vous que... au Canada, 90% de la population dit appartenir à une religion chrétienne, c'est-à-dire qui croit en Jésus-Christ?

Saviez-vous que... les principales religions chrétiennes sont le catholicisme, le protestantisme et l'Église orthodoxe?

Saviez-vous que... durant le vingtième siècle, l'immigration a grandement contribué à l'augmentation de la diversité religieuse au Québec?

Saviez-vous que... le judaïsme, l'islamisme, le bouddhisme, le sikhisme, l'hindouisme et plusieurs autres religions sont représentés au pays?

Saviez-vous que... le mot *secte* désigne une organisation à connotation religieuse dont les membres ont des croyances ou des comportements jugés obscurs ou malveillants par le reste de la société?

Saviez-vous que... selon certains observateurs, il y aurait plus de 1200 sectes actives dans le monde?

Saviez-vous que... chaque religion ou chaque secte prétend détenir LA vérité et tente de s'opposer à l'influence des autres religions?

Saviez-vous que… plusieurs groupes fanatiques, au nom de leur foi, commettent des actes violents dans le but d'éliminer ceux qui ne partagent pas leurs croyances, ou de leur faire peur?

Saviez-vous que… l'idéologie nazie est basée sur la croyance en une race supérieure, les Aryens, et qu'elle prône l'antisémitisme, la ségrégation raciale et l'épuration du peuple germanique?

Saviez-vous que… lors de la Seconde Guerre mondiale, les nazis se sont approprié des milliers d'œuvres d'art qu'ils ont volées aux Juifs ou qu'ils ont confisquées dans les musées des pays occupés?

POUR EN SAVOIR UN PEU PLUS SUR LES SECTES

Quelques définitions d'une secte

- Un groupe dans lequel on pratique une manipulation mentale qui entraîne l'endoctrinement, le contrôle de la pensée, la destruction de la personne et la rupture avec la famille et la société.

  Association de défense des familles et de l'individu

- Un groupe totalitaire dans lequel le fondateur est celui qui sait tout, sans autre preuve que sa parole.

  Roger Ikor, écrivain, 1912-1986

- Un groupe fondé sur des croyances définies une fois pour toutes comme des certitudes rigoureusement intangibles. Son enseignement contient toutes les vérités. Les mettre en doute est considéré comme une attaque contre le groupe et le gourou.

Centre contre les manipulations mentales

Comment sont traités les enfants dans les sectes

La condition des enfants entraînés dans les sectes varie en fonction du degré de dépendance au gourou de leurs parents. Néanmoins, tous les aspects de la vie d'un enfant peuvent en être affectés. Par exemple :

- Séparation de la mère et de l'enfant, qui sera confié à d'autres membres de la secte.
- Régime alimentaire carencé, imposition de jeûnes, obligation d'endurer la faim et la soif.
- Soins inadéquats avec rejet de la médecine moderne.
- Éducation en marge de la société où l'on enseigne que ce qui vient de l'extérieur de la secte est mauvais et dangereux.
- Absence de jeux et travail obligatoire dès le jeune âge.

Quelques caractéristiques d'une secte

Pour se faire une idée plus juste sur une association religieuse afin de déterminer si elle est ou non une secte, on peut tenter de l'évaluer selon les critères suivants :

- La manipulation mentale et psychologique.
- Des exigences financières exorbitantes.
- La rupture induite avec la famille.
- Les mauvais traitements physiques.

- L'embrigadement des enfants.
- Le discours antisocial.
- Le culte du gourou.
- Des certitudes incontournables et indiscutables.
- Le fanatisme.
- La rupture avec les valeurs de la société.

POUR EN SAVOIR ENCORE PLUS
SUR LES PILLAGES NAZIS
VRAI OU FAUX?

La valeur des biens confisqués par les nazis lors de la Seconde Guerre mondiale est considérée comme minime.

FAUX: À la fin de la guerre, en 1945, la valeur totale des biens confisqués aux Juifs par le régime nazi était évaluée à environ 17 milliards de dollars de l'époque, une somme colossale. Quelque 10 millions d'objets ont été volés pendant le règne du régime nazi, dont environ 600 000 tableaux.

Le nazisme existe depuis toujours en Allemagne.

FAUX: Le nazisme est l'idéologie politique du Parti national-socialiste des travailleurs allemands, un parti politique fondé en Allemagne en 1920. Ce parti est arrivé au pouvoir le 30 janvier 1933 avec la nomination d'Adolf Hitler au poste de chancelier de l'Allemagne.

Aucune loi n'oblige les propriétaires actuels d'œuvres d'art volées par les nazis à les restituer à leurs anciens propriétaires.

FAUX : Dès la fin de la guerre, en Europe, les pays ont édicté des lois concernant la restitution des œuvres d'art à leurs propriétaires d'origine. Malgré ces lois, de nombreuses œuvres d'art n'ont pas été réclamées et ont été déposées dans des collections nationales. En 1999, de nouvelles lois ont été votées et des directives ont été établies pour les musées concernant l'identification et la restitution d'œuvres d'art volées durant la Seconde Guerre mondiale.

Une grande partie des œuvres volées sont revenues à leurs propriétaires d'origine ou à leur descendance.

VRAI : À ce jour, on estime que 70 % des œuvres d'art volées sont revenues à leurs anciens propriétaires ou à leur descendance. Néanmoins, sur 600 000 tableaux volés par les nazis, 100 000 n'ont toujours pas été retrouvés, selon des chiffres publiés à Prague.

POUR EN SAVOIR BEAUCOUP PLUS

Voici quelques sites Internet où l'on peut obtenir de l'information ou de l'aide :

Si tu cherches plus d'informations sur les sectes

Info-Sectes : Organisme situé à Montréal qui offre de l'aide et de l'information sur les sectes, les nouveaux mouvements religieux et les groupes ou sujets connexes. Info-Sectes possède un centre de documentation comprenant de l'information en français et en anglais.

Site Internet : www.info-sectes.org
Téléphone : (514) 274-2333

Vigi-Sectes : Association chrétienne internationale d'information sur les sectes et les mouvements religieux.
Site Internet : www.vigi-sectes.org

Preventsectes : Site indépendant qui a pour but de donner de l'information afin d'éviter que des gens se laissent piéger par les sectes.
Site Internet : www.prevensectes.com/def.htm

Union nationale des associations de défense des familles et de l'individu victimes de sectes (UNADFI) : Association française fondée en 1974, reconnue d'utilité publique depuis 1996 et subventionnée par l'État français depuis cette date. Elle regroupe et coordonne les associations de défense des familles et de l'individu (ADFI), dont l'objet est l'information sur le phénomène sectaire, la prévention et l'aide aux victimes.
Site Internet : www.unadfi.org

Si toi ou un de tes proches êtes en danger, vous pouvez téléphoner à la police au 911.

Si tu cherches plus d'informations sur les pillages faits par les nazis

Conseil international des musées : Une organisation internationale des musées et des professionnels de musées, qui s'engage à préserver la valeur du patrimoine culturel et naturel mondial, actuel et futur. Son site fournit des informations sur la spoliation des biens culturels juifs et des outils de recherche permettant aux victimes ou à leurs descendants de récupérer les objets volés.

Site Internet : icom.museum/spoliation_fr.html

Il existe plusieurs livres qui traitent des pillages faits par les nazis. En voici deux :

Lynn H. Nicholas, *Le pillage de l'Europe, les œuvres d'art volées par les nazis,* traduit de l'américain par Paul Chemla, Paris, Seuil, 558 pages.

Hector Feliciano, *Le musée disparu, enquête sur le pillage des œuvres d'art en France par les nazis,* Paris, Austral, collection Documents, 250 pages.

INVITATION

La lecture de ce livre terminée, vous avez sûrement des impressions ou des commentaires concernant l'histoire, les personnages, le contexte ou la collection Faubourg St-Rock en général.

Nous serions heureux de les connaître ; alors, si le cœur vous en dit, écrivez-nous à l'adresse suivante :

Éditions Pierre Tisseyre
a/s Susanne Julien
9300, boul. Henri-Bourassa Ouest
Bureau 220
Saint-Laurent (Québec)
H4S 1L5

info@tisseyre.ca

Un grand merci à l'avance !

PLAN DU
FAUBOURG
ST-ROCK

HERRIMAN

Chemin de la crête

DURUISSEAU

CÔTE-AU-SHOP

DES ARTISANS

TANQUERAY

MODEHOUSE

DE L'OASIS

DES ÉGLANTIERS

BOULEVARD DE LA PASSERELLE

Aréna

DE L'ALLIANCE

CROISSANT ST-ROCK

COLLECTION FAUBOURG ST-ROCK+
directrice : Marie-Andrée Clermont

Note : Les ouvrages listés ci-dessus dans la collection
Faubourg St-Rock + sont des versions réactualisées
des romans portant les mêmes titres parus
de 1991 à 1998.